幸せな死のために一刻も早く あなたにお伝えしたいこと

若き外科医が見つめた「いのち」の現場三百六十五日

中山祐次郎

舎新書
376

はじめに

あなたは、「きょう、自分が死ぬ」なんて考えたことがありますか？

私は都内の病院で働いている、医者になって九年目の外科医です。

大腸がんの手術が専門です。平日は毎日二、三件の手術があり、一年に二五〇件ほどの手術をやっています。

同世代の外科医よりはたくさんの手術を経験していますが、がんの外科医としてはまだまだ若造です。

医者になってからというもの、日々病院で働きながらいろいろな患者さんたちにお会いして、思うことがたくさんありました。

何千人もの患者さんのいのちの現場で見たこと。

嬉しかったこと、哀しかったこと。

そんななかで、あるひとつの疑問が私の頭から離れなくなりました。

「なぜ、いのちの終わりはこれほどまでに辛いのか」

その疑問のお話をする前に、まず私という人間についてお話しさせてください。

私は三十四歳の男で、地方の国立大学の出身です。大学を卒業してから、東京都内の病院に勤務しています。今のところ大学の医局というものには属さず、研修医の頃からずっと同じ病院で働いています。

そんな私ですが、少し変わっている、と言われることがあります。

日々医師として病院で働いていますが、医者以外の人づきあいも大切にしていますし、医学関係でない本も読むように心がけています。医師でなかった頃の感覚を失わずにいたいと強く思っているからです。

医師になってからというもの、実にいろいろな体験をさせていただきました。

まるで『Dr.コトー』のような、人口三〇〇〇人の離島でお医者さんをやったこともあります。

研修医の頃、病室に入るまでかぎが三つもあるような、精神科病院の閉鎖病棟で働いたこともあります。

救急車に同乗して、今にも死にそうな人を搬送したことも何度もあります。

ボクシングのリングドクターもやりました。

一日に一〇人以上も心臓が止まった人が運ばれてくるような病院でも働きました。

そのなかで感じた、たくさんの違和感や「おかしいだろう」ということ。それを私は、ややもすれば忘れてしまいそうになりました。多忙を言い訳に、そんな想像力を失ってしまいそうになった時期もありました。

それでも私は今、やっぱり忘れたくないと思っています。

日々医者として生活しているなかで、なんとか自分のなかに留めておきたい。

「病気が怖い」

「死ぬのが怖い」

こんな当たり前の患者さん側の感覚を、失いそうになっていく自分がとても怖いと思ったのです。

ですからあるときは医師として、あるときは患者さんとして、ふたつの立場を行ったり来たりできたらよい。病院で医師として働いている間も常に、「私がこの患者さんだったらどう感じるか、どう思うか」ということをずっと考え続け、大事にしてきたのです。

そんなことを何年も考えているうちに、とうとう我慢ができなくなりました。お伝えしたいことがある。それも、一刻も早く。

そんなきっかけで、出版の見込みもないまま、私はこの本を書きはじめました。

ですが実のところ、私が医学書でない本を執筆することには、大きなためらいがありました。医者の世界は、狭く閉鎖された空間です。学歴、学閥、権威、年功序列。そういったものが厳然と存在する業界です。山崎豊子さんの『白い巨塔』という名作がありましたが、教授をピラミッドの頂点とするヒエラルキーは、正直言って今でもたいして変わっていません。

そして、まっとうな医師は患者さんに寄り添い、論文を書き、医業に専念すべしといった雰囲気があります。つまり、ちゃんと仕事をしていたら本を書く暇なんてないだろう、ということです。ですから、私はこの本を書くことで、自分のキャリアを閉ざすことになってしまうかもしれません。

　でも、私は執筆を決意しました。

　その理由は、混乱のなか、死の恐怖に打ち勝てずに切ない最期をお迎えになる患者さんをたくさん目にし、一介の若手医師の私ではありますが、「なんとかしたい」と思ったからです。まず「自分がいつかこの世を去る」という、とても辛いこの真実を知っていただきたい。それを知ることで、そしてこの本がきっかけになって、少しでも安らかに旅立つ人が増えてくれればと思い、手術の合間をぬってキーボードに私の想いを叩きつけました。

　幸せに死ぬ。

　満足し微笑んで、旅立つ。

　変な表現かもしれませんが、この本でお伝えしたいのはこんなことです。

　私の働いている病院の、私の科では、外科医ががんの手術、抗がん剤治療、再発の治療、そして末期の治療と最期のお看取りまでを担当しています。

　少し意外に思われるかもしれませんが、がんと診断された患者さんの一番はじめの治療から最期のときまで、一貫してひとりの同じ外科医が主治医として担当させていただきます。もちろん治療の途中では、いろいろな科の医師やスタッフが関わりますが、主治医、つまりその患者さんの治療方針を最終的に決定するのは外科医である私たちです。

そんな私たちが接する多くの人は、

「突然余命を宣告されて驚きパニックに陥ってしまう」

「残された時間内に、〝自分がこの世からいなくなる〟ことを受け止めきれず、恐怖と混乱のなかで亡くなる」

のです。

主治医として、深く関わったひとりの人間として、これほど辛いことはありません。

少し想像してみてください。

あなたは四十代の会社勤めのサラリーマンで、郊外のマンションに妻と娘二人と住んでいます。会社が忙しくなったせいか、なんとなく最近晩酌のお酒がうまくない。たまにお腹が痛んで、飲みすぎた翌日は少しお通じがゆるくなることもある。若い頃からお腹は弱い方なので、とくに気にしていなかった。会社の健診も毎年受けているが、異常と言われたことはない。しばらく放っておいたら、少し血の混じったお通じが出るようになった。

さすがに心配になったので近所のお医者さんに行くと、「一度大きい病院で検査した方がよい」と言われ紹介状を渡された。そこで勤務先近くの大病院に予約を取り、受診して検査の予約を取った。胃カメラや大腸カメラ、さらにCT検査をやり、一カ月後の外来で医師にこう告げられます。


「検査の結果、あなたは進行した大腸がんです。肝臓や肺にも転移しており、腹膜播種《はしゅ》（お腹のなかにがんが散らばっている状態）もあるようです。来週手術を予定していますので、入院する準備をしておいてください。手術が終わったら抗がん剤の治療もしましょう」


いきなりの宣告にあなたは驚き、帰宅してインターネットで調べます。

「大腸がん　転移」で検索します。そして知ります。自分が「大腸がんのステージⅣ」であり、五年後に自分が生きている可能性は二〇パーセントもないということを……。

それから考えます。

年老いた親のこと。子どもの教育。残された妻のこと。会社の仕事。

何よりも、自分の人生がもうすぐ確実に終わってしまうという事実……。とても嫌な話をしてしまいました。

読まれただけで、胸が苦しくなってしまわれたかもしれません。けれども、これが現実に起こっていることなのです。

日本中の病院の外来室で、三百六十五日、起きているのです。このようにして、突然がんにかかり、なんの前置きもなく、なんのこころの準備をすることもなく、自分の余命を宣告されるのです。

そう、あなたも私も、突然死ぬのです。

誰もが、平均寿命の七十歳から八十歳くらいに、なんとなくじわじわと、小さい病気から徐徐に調子が悪くなっていって、「ああ俺もやりたいことやって十分に生きたからな」とか「私は孫も抱いたし本望よ」などと考えながら、家族に囲まれて眠るように天に召されると思っています。私だって、そうです。

でも残念ながら、違います。

多くの人は、こころざし半ばに、大事なプロジェクトの最中に、おさな子が生まれてすぐに、やっと定年を迎え子どもが独立して妻と旅行でも行って一息つこうと思った矢先に、突然人生を終えなければならないのです。三十代でがんになる人もいます。四十代で脳梗塞になり半身麻痺になる人もいます。

だから今、あなたには「自分が死ぬ」という事実に目を向けて、真剣に考えてほしいのです。

自分が突然この世からいなくなってしまうこと、これを想像するのはとても勇気がいるし、大変なストレスのかかる行為です。

思わずこの本を閉じたくなるかもしれません。

でも、ちょっと待ってください。

中世のヨーロッパの教会には、「MEMENTO MORI（メメント　モリ）」と書いた札が掛けられていました。

ラテン語で「死を想え」という意味ですが、時代ごとにいろいろな解釈がされています。疫病の流行した中世ヨーロッパでは、人々は身近に死を感じていたことでしょう。この頃はキリスト教的な解釈で「あなたは死にますが、来世で救われるから神を信じなさい」と考えられていました。

一方そのはるか昔、古代ローマの時代には、戦いに勝利した凱旋パレードで「MEMENTO MORI」と掲げたそうです。今日は勝利したが、いつ敗北して死ぬかはわからない。まるで平家物語の「おごれるものは久しからず」です。

私は、この「MEMENTO MORI」をこんなふうに考えました。

「死を想え。

死を想うことで今生きていることを実感し、喜び、自身の生き方を今一度考えよ」と。

あなたは、タイムリミットのせまったウルトラマンみたいなものかもしれません。タイマーが目に見えないだけで、そしていつ鳴らされるかわからないだけで。

あと五年で死ぬとしたら、あなたは何をしますか？

では、あと三年だとしたら？

あと半年だとしたら？

「自分の仕事はこれでよいのか、自分の生き方はこれでよいのか」

本気の、真剣の自問自答をしてください。

自分に問いかけてみてください。

そしてそこから出てきた本当の本音に、少し勇気を出して耳を傾けてみませんか。

この、こころからの自分の本音に従って生きることができたなら。

もし少しでもそうできたなら、ほんの少し、最期のときの無念が減るのではないか。私はそう思います。

まず、「自分はいつか死ぬ。しかも突然に」という事実に直面する。

一見、途方もなく難しい、怖いことに見えるかもしれません。

ですが、実はほんの少し「考え方」を知るだけで、そして現実を知るだけで、誰もが変わることができる、シンプルなことばかりです。

患者さんたちが、人生の先輩たちが、この私に身をもって教えてくださった「ギフト」をここで開封したいと思います。

幸せな死のために一刻も早くあなたにお伝えしたいこと／目次

第三章 医者のこと、病院のこと

イラスト 坂木浩子
図版作成・DTP 美創

第一章 死を想う

それが最後のお願いになるなんて

「先生、焼酎が飲みてえよ……」

私は何も答えられませんでした。

ただ黙って微笑むだけでした。

まさかそれが彼の最後のお願いとも知らずに……。


三十代で大腸がんになって、手術や抗がん剤治療をし、一度は治りましたが再発。抗がん剤のレジメン（薬のメニューのこと）を変えてしばらく投与しましたが、まったく効いていない様子で、再発した腫瘍はみるみる大きくなっていきました。そして痛みがこらえられなくなり緊急入院……。


入院した日に、彼は担当医である私に言いました。

「先生、俺はいつ帰れますか？」

同じくらいの歳の奥さんと、ちょうど一歳になる赤ちゃんがいました。

「大丈夫、痛み止めの量を調整して、きちんと痛みをとって帰りましょうね」

そう言って私はにっこりと笑いました。

帰れる可能性はほぼゼロであることを知っていながら……。


入院後は徐々に全身の状態が悪くなっていき、麻薬の鎮痛剤の量も増えていきました。

だんだんと食事も摂れなくなり、点滴をするようになりました。ベッドから離れて歩くこともほとんどなくなりました。

私が手術の合間をぬって、お部屋を尋ねるとこんなことをおっしゃるようになりました。


「俺はもう帰れないかな」

「娘はどうなっちゃうんだろう」

「なんで俺がこの病気にかかったのかな。俺じゃなきゃだめだったのかな」

私には、返す言葉がありませんでした。

もう帰れないし、娘さんはお父さんをもうすぐ亡くしてしまうし、彼がこの病気になった合理的な、納得のいくような理由は何ひとつなかったからです。

ただただ、「たまたま」彼ががんになって、ほぼ同い歳だった私は「たまたま」ならなかったのです。

現代の医学では、「たまたま」以上の説明ができないのです。

うすっぺらな励ましを言っても、なんの慰めにもならないことはわかっていました。ただいくつかのあいづちを持って、彼の部屋に夜遅く訪問する日々が続きました。

だんだんと、再発した腫瘍が大きくなってきたのでしょう、両足は丸太のようにぱんぱんにむくみ、歩くのもままならなくなってしまいました。ベッドサイドにはいつも若い奥さんと、赤ん坊がいました。

ちょうどその頃、冒頭のせりふを口にされたのです。

「先生、焼酎が飲みてえよ……」

私は頭のなかで、こんなことを思いました。

この人のいのちは、もってあと二週間。今彼が焼酎を飲んだからといって、死期が大幅に早まったり、延びたりすることはない。

病院のルールでは、もちろんお酒は禁止。でも……。

病棟の看護婦さんに怒られても、上司に睨《にら》まれても、こっそり焼酎を持ってきてしまおうか……。

そんなことを逡巡《しゅんじゅん》しながら眠られぬ夜を過ごし、翌朝顔を見に行くとすでに意識がかなり悪くなっていました。もう会話はできませんでした。

昨日しかチャンスはなかったのか。なぜ私はためらったのか。

私は激しい後悔の念に苛《さいな》まれました。

そして四日後、一度も意識が戻ることなく天に召されていきました。

院内の霊安室でお花をお供えして手を合わせたあと、上司と二人で「若い奥さんとおさな子を残して死んでいくのは、さぞ無念だったろうなあ」と涙が止まりませんでした。

若造の私が「死」について書く理由

私は「はじめに」でも書いたように、医師になって九年目の外科医です。外科医の業界では「十年目の鼻タレ小僧」という言葉があるくらいで、まだまだ若輩者です。

私は不治の病から生還したわけでも、たくさんの人が亡くなるような大事故に遭遇し九死に一生を得た経験を持つわけでもありません。

そんな若造の私がなぜ不遜《ふそん》にも、傲慢《ごうまん》にも、「死」をテーマに本を書こうと思ったか。

その理由は、さきほどの患者さんのような方にたくさんお会いしたから。彼のように若くして混乱のさなか亡くなっていく患者さんを、忸怩《じくじ》たる思いで何人もお見送りしたからです。そんな患者さんたちに寄り添い、少しでも辛さを減らしたい。そう考え、筆をとりました。

ご存じでしょうか。

彼のように、若くしてがんで亡くなっていく人は決して少なくありません。

「家族がみんな若くしてがんで亡くなっている一族なのではないか」とか「特殊な仕事や生活

をしていたり、大変なヘビースモーカーだったり、何か理由があるのではないか」と思う方もいるかもしれません。

しかし、そうではありません。

彼のように若くしてがんになる人は、特別な人々ではないのです。

何かがんにかかりやすい要素を持っているわけではありません。ごく普通に生活し、ごく普通に仕事をし、ごく普通に生きている人なのです。

もしかしたら何か原因があるのかもしれませんが、現代の医学ではほとんどわかっていません。

もちろん統計から見ると、若くしてがんにかかる人はそう多くはありません。しかし、がんにかかってしまった人からしたら、自分ががんになったらもうそれで一〇〇パーセントなのです。

私はまだ三十四歳の若造です。ものも知らず、さしたる苦労もしておらず、妻も子もおりません。

ですが、病院というところで白衣を着て仕事をしているために、それまで知りもしなかった

「人の死」と、それが纏《まと》う「哀しみ」や「切なさ」に直面して来ざるをえませんでした。

私がもし、何千人もの患者さんを治療したベテラン医師や、宗教者や、人生の達人であれば、それらのことにいちいち揺さぶられることもなかったかもしれません。

しかし自分が医者としてのキャリアも浅く「達観」できないからこそ、いちいち傷つき思い悩んだからこそ、感じるものや見えるものがあったのではないかと思っています。

「いつか自分が死ぬ」ということ。

「そんなこと、想像するだけで怖いし気が滅入るから嫌だよ」

そう思う方のために、私はこの本を書きました。

私と一緒に、少しずつ目を向けていきませんか。

自分はいつか死ぬらしい、それも突然に

突然ですがひとつ質問です。

あなたは、自分が何歳にどんな理由で死んでしまうと思いますか？

この質問に答えられる人は、いらっしゃらないのではないでしょうか。自分の余命がわかっている人は、がんなどの病気の末期の方か神経の難病などの人だけです。

では、質問を変えましょう。

あなたは、何歳くらいで死にたいですか？　そして、理由は何がいいですか？

せっかく考えていただいたのですが、残念ながら私に正解はわかりません。現代の医学では、たとえ遺伝子検査を行っても、答えはわかりません。

ですが、多くの人がどう答えるかはだいたいたい見当がつきます。
以前行ったアンケートでは、回答はおおよそ次の三つに分けられました。

①平均寿命の八十歳くらいに、痛くない病気か一瞬で死ぬ事故でぽっくり死にたい。

②百歳頃、老衰で死にたい。
③わからない。

いかがでしょうか。
実は、この三つの答えには共通点があります。
それは、「どれも現実的ではない」という点です。
たとえば、こんなふうに答える人はまずいらっしゃらないだろうと思います。

・再来年頃、夫婦でアフリカ旅行中に蚊に刺されてマラリアに感染し死にたい。
・六十歳頃、家の近所で犬の散歩中に、突然倒れてきた自動販売機の下敷きになって死にたい。
・四十歳で課長になった頃に、家庭と仕事のプレッシャーでうつ病になり自殺したい。
・六十八歳で、胃がんと大腸がんを同時に発見され、大きい病院で手術を受けたがうまくいかず死にたい。

ですが、この四つは十分ありうることなのです。

先の三つの答えより具体的に書いているのが気になるかもしれません。当然だと思います。私だって、医者になる前はそうでしたから。具体的に自分の死をイメージすることは恐怖を伴いますよね。それに難しい。

なぜイメージするのが難しいのでしょうか。その理由は、実は自らの死はいつも「突然」にやってくるものだからです。

でも、いのちの現場にいる医師は知っています。

ほとんどの人は突然、なんの前触れもなく余命を宣告されます。それが何歳になるのか、どんな病気なのか、誰にもわかりません。

私だって、自分がどんなことになるのか見当もつかないのです。

あなたはきょう以降のいつか突然、余命を宣告される。これが現実です。

しかも、余命を宣告されるのであれば実はまだいい方です。

交通事故や災害でいのちを落とすこともあります。突然死する病気だってたくさんあります。原因がわからないまま死亡してしまう場合も、驚くほど多いのです……。

決していたずらに不安をあおっているわけではありません。とても不愉快な、不都合な話ですが、これは事実なのです。

まずこれを、受け入れてみるのはいかがでしょうか。

あなたが何歳でも、国籍がどこでも、お金持ちでも貧乏でも、サラリーマンでも有閑マダムでも芸能人でも大企業の会長でもお坊さんでも医者であっても、これだけは共通のこと。

「人は誰もが、いつか死んでしまう。それもしばしば突然に」

これは人類の歴史が始まって以来、今日までずっとすべての人に共通してきたことなのです。

「平均寿命○○年」の本当の意味

そうは言っても、では自分はあと何年くらい生きそうなのか。何か参考になるものはないでしょうか。

これを考えるヒントになるデータがあります。

図表1　主な年齢の平均余命（H23年）

年齢	男	女	年齢	男	女
0	79.44	85.90	50	31.39	37.32
5	74.71	81.19	55	26.95	32.68
10	69.77	76.24	60	22.70	28.12
15	64.81	71.28	65	18.69	23.66
20	59.93	66.35	70	14.93	19.31
25	55.10	61.45	75	11.43	15.16
30	50.28	56.56	80	8.39	11.36
35	45.47	51.69	85	5.96	8.07
40	40.69	46.84	90	4.14	5.46
45	35.98	42.05			

出典：厚生労働省

日本人の平均寿命は男は七十九・四四年、女は八十五・九〇年でした（厚生労働省発表〈図表1〉）。

「平均寿命」という言葉の定義はご存じですか。なぜ単位が「歳」ではなく「年」なのでしょうか。

これは、「平均寿命」とは「今年生まれた赤ん坊が、あと何年生きるか」だからです。

これと似た言葉で、「平均余命《へいきんよみょう》」という言葉があります。

今五十歳の人の「平均余命」とは「今年五十歳の人が、あと何年生きるか」という数字です。図表1では、今五十歳の男性は平均してあと三十一年ちょっと、女性はあと三十七年ちょっと生きるという計算になります。

この表を見るときに、ひとつ気をつけてほしいことがあります。
それは、この表はあくまで日本人の「平均」を書いているにすぎない、という点です。
「平均」とはなんだと思いますか？
「平均」とは、ひとりひとりが生きた年数を足し算して、人数で割ったものです。
余命の話になると「平均」や「生存率」で話をすることがとても多いのです。
現代の医学では、このように確率で余命を推測することしかできません。

しかし、大きいばらつきがあるのが人間の余命です。残念ながら三十代で亡くなる方もいます。四十代で二つがんにかかる人もいます。百歳を過ぎてずっと酒たばこをやめずに、一度もがんにかからない人もいます。
もっと言ってしまえば、自分がいざ「余命三年」となったときには、この統計学的数字はなんの役にも立ちません。あくまで目安のひとつ、と考えるとよいでしょう。

三十代でも一〇〇人にひとりはがんで死ぬ

今度は、「どんな病気で最期を迎えるか」ということについて考えてみましょう。

ここでは少し、あなたの恐怖心をあおるような内容になってしまうかもしれません。しかし現実を直視していただければと思い、あえて書きたいと思います。

「うちはがん家系で、おじいさんもおばあさんもひいおじいさんもがんだった」という人は、「私は最期はがんだろうな」と思っているでしょうか。あるいは「代々心臓が悪いので、きっと自分も心臓病だろう」と思っている人もいるかもしれません。

しかし、「自分は落ち込みやすいから、きっと将来自殺するだろう」とか、「不注意だから、トラックにひかれて死ぬだろう」とか思っている人はまずいないでしょう。

実際のデータでは、どうなのでしょう。年齢別に見た死因の順位が、厚生労働省から毎年発表されています（図表2）。

それぞれの年齢の、順位を見てみましょう。

三十代の方は、「自殺」がランキング一位であることに驚いたことでしょう。そして、「がん」が二位という結果にも注目されたかもしれません。

具体的な人数で言うと、三十代の方のうち、一〇〇人にひとりはがんで死にます。

図表2　年齢別に見た死因の順位（H23年）

	第1位	第2位	第3位	第4位	第5位
全世代	がん	心疾患	肺炎	脳血管疾患	不慮の事故
0歳	先天奇形など	呼吸障害など	不慮の事故	乳幼児突然死症候群	出血性障害など
1〜9歳	不慮の事故	先天奇形など	がん	心疾患	肺炎
10歳代	不慮の事故	自殺	がん	心疾患	先天奇形など
20歳代	自殺	不慮の事故	がん	心疾患	脳血管疾患
30歳代	自殺	がん	不慮の事故	心疾患	脳血管疾患
40歳代	がん	自殺	心疾患	不慮の事故	脳血管疾患
50歳代	がん	心疾患	自殺	不慮の事故	脳血管疾患
60歳代	がん	心疾患	脳血管疾患	不慮の事故	肺炎
70歳代	がん	心疾患	脳血管疾患	肺炎	不慮の事故
80歳代	がん	心疾患	肺炎	脳血管疾患	老衰
90歳代	心疾患	肺炎	がん	老衰	脳血管疾患
100歳代	老衰	心疾患	肺炎	脳血管疾患	がん

出典：厚生労働省ホームページ　平成23年人口動態統計月報年計（概数）の概況
一部改変　悪性新生物＝がんとした

三十代の方は、同世代の友人や知り合いが一〇〇人くらいいますよね。そのうちひとりは三十代のうちにがんで亡くなる、という事実があるのです。

決して自分ではない、と思いますか？

「三十代でがんで死ぬ」という話は、映画や小説だけの話ではありません。このように現実に身近で起きていることなのです。

四十代の方では、全世代で初めて「がん」が順位のトップに躍り出ます。具体的には、約三〇人にひとりが、がんで死亡するのです。

四十代の方であれば、同世代の身近な友

人や職場の同僚を亡くされたことがあるかと思います。もはや「死」は他人事ではありません。

五十代の方は、一位が「がん」、二位が「心疾患」です。がんに関して言えば八人にひとりの計算です。五十を超えるくらいになると人間は心臓が弱くなりますから、心筋梗塞が増えて心疾患が二位に入ります。約三〇人にひとりがこれで死亡する計算になります。

六十代の方であれば、同い年くらいのご友人を亡くされた方もいらっしゃるのではないでしょうか。

ご両親が他界されたり、配偶者を亡くされたりした方もいらっしゃるかもしれません。

六十代ではおおむね三人にひとりの方が、がんで亡くなります。

ここで注意したいのは、六十代の方々のことです。この方々は生まれつき大きな病気などなく生まれ、幼少期に危険な事故に遭遇せず、二十代・三十代の若い頃に自殺をしてしまうこともなく、四十代・五十代でまわりがちらほらがんにかかるなかでずっと健康でいた方々です。

病院で医者をやっていると、「一度も病院にかかったことがないのが自慢だったのに、なんで突然がんになるんだ」とか、「毎年健診で異常なしと言われていたのになぜ、気づいたらがんになっていたんだ」と、おっしゃる患者さんが大勢いらっしゃいます。

患者さんがそのように思ってしまうのにはカラクリがあります。そういう方は三十代、四十代、五十代を、死なずに健康に生きてこられました。

それまでの多数のいのちの落とし穴を、たまたま上手にすり抜けてここまでいらしたから、そのお歳まで生き残れたとも言えます。だからこそ「突然に」がんがやってきたと思ってしまうのです。

健康自慢で医者にかかったことがない人が、ある日突然治らない病気を宣告される。それが現実に起きていることです。

第二章

本音を知る

人生は締め切りがわからないプロジェクト

私たちはふだん、たくさんの「締め切り」を抱えて暮らしています。

会社で仕事をしていれば、どんなプロジェクトでも「今月中に」とか「今年度いっぱいで」という締め切りがあります。仕事でなくても、夕食の支度は夕食までに終えなければなりませんし、ほとんどの食品には賞味期限があります。掃除や洗濯も定期的にやらなければ生活ができません。これも締め切りです。

学生時代には宿題がしょっちゅうありました。お中元、お歳暮、年賀状など、あなたは実にたくさんの締め切りに囲まれています。

私も例外でなく、学会の登録締め切り、原稿の締め切り、家賃の振り込みなど、無数の締め切りに追われています。

その締め切りたちが見えなくなるくらい、一度遠く離れて私たちの暮らしを見てみましょう。すると、「人生そのもの」にも締め切りがあるのが見えてきますね。そうです、自分の人生が終わる、まさにその日が締め切りです。

ですが、この締め切りは少し特殊なもの。

ほかの締め切りとは違う点があります。それは、

「いつやってくるか不明で、予告がないこともある」

という点です。

持病のチェックや検査をどれだけやったとしても、現代の医学で人生の締め切りを予測するのは、残念ながらほぼ一〇〇パーセント不可能です。たとえがんと診断しても、「五年後に八〇パーセントの確率で生存しています」というふうに確率でしか言えません。二年で締め切りが来てしまう人もいれば、治ってしまって締め切りが三十年後の人もいます。

きわめてまれですが、がんをほうっておいたらいつの間にか消えてなくなった人もいらっしゃいます。れっきとした学術論文での報告があります。

つまり、この人生の締め切りは、「必ずやってくるくせに、誰にも詳しくわからないし、予測が不可能」なのです。

これはとても困った問題ですよね。

たとえばもし会社で、「締め切りも納期もわからないが、とりあえずプロジェクトを進めろ」と言われたらどうでしょうか。普通は「最終的なすべての締め切り」が決まっていて、そこまでにやるべき仕事量と残り時間を見て、段階的に「小さい締め切り」をいくつか作って遅れないようにしますよね。

それではもし、試験の終了時間がわからない英語の試験を受けるとしたらどうでしょうか。試験を受けるときに終了時間は秘密で、突然「終わり」と言われるかもしれないし、「あと十分」とどこかでアナウンスされるかもしれない。とりあえず試験開始、と言われたら困りますね。どのくらい解答すればいいのか、どんなペースでやればいいのかわかりません。

試験時間が九十分と決められているからこそ、時間のかかる長文問題を先に読んだり、確実に得点できるイディオムのところを先に解いたりするのです。

時間を決められずに試験をやったら、何を優先して何を捨てればよいかがわからず、二〇パーセントくらいは得点が下がるかもしれません。

私たちはそうやって、日々の生活のなかで常に「無意識のうちに」優先順位をつけて、「小さい締め切り」をたくさん設定し、すべきことをこなしています。

なのに、人のいのちというものは、終わりがいつかわかりません。

あなたは今、「締め切り」が不明なプロジェクトのまっ最中なのです。

初期のプランニングの段階で締め切りが来てしまうかもしれないし、あと一歩というところで締め切りが来てしまうかもしれない。

なのに、なんとなく八十歳まで生きると考えて、四十代のあなたはあと四十年、六十代のあなたはあと二十年としてプランニングしていませんか?

本当に、その締め切りの設定でよいのでしょうか。

ビスマルクという人がこんなことを言っています。

「人生は歯医者のいすに座っているようなものだ。さあこれからが本番だ、と思っているうちに終わってしまう」

さてそろそろ本気を出すかと思っているときにすぐに締め切りが来てしまったら、泣くに泣けませんよね。

人はその瞬間に何を後悔するのか

死ぬときに、後悔すると思いますか？
それはどんな後悔でしょうか？

病院には、患者さんの最期の瞬間をずっと見つめている人がいます。「緩和ケア科」とか「ホスピス」と呼ばれるところの医師やスタッフです。「緩和ケア科」や「ホスピス」とはおおまかに言えば、何かの病気の末期の人が、最期の数週間を過ごすための病院や部門です。最近は大きい病院にも「緩和ケア病棟」や「緩和ケアチーム」ができています。私の病院にも数年前にできました。

彼らは痛みを取り、人生の最期の数週間を家族と本人が混乱なく過ごせるように環境を作るプロフェッショナルです。そのチームには、実にいろいろな人がいます。
まずお医者さんですが、「緩和ケア医」というドクターと、「精神科医」がいることが多いですね。そして看護師さん。心理療法士さんもいます。それから牧師さんやお坊さんなど、宗教関係の方がいることも。さらにボランティアの方もいらっしゃいます。ボランティアの方は、しばしば「がんで亡くなった方のご家族」であったりします。さらにソーシャルワーカーと言われる、退院や転院の調整をする専門家もいます。病院によっては、音楽療法をするピアニストがいたりもします。ときには、患者さんの家族、そして患者さん本人もチームの一員となることがあります。

その緩和ケアのお医者さんが興味深い本を書いています。大津秀一先生というお医者さんは、著書『死ぬときに後悔すること25』（致知出版社）のなかでこう綴っています。

……私が見届けてきた患者さんたちは、大なり小なり何らかの「やり残したこと」を抱えていた。だから皆、程度の差こそあれ、後悔はしていた。

私が最期のときを看取った患者さんにも、後悔に身をやつした方はたくさんいらっしゃいました。

なんの後悔もなくそのときを迎えた患者さんは、ほとんどいらっしゃらなかったように思います。

ではどんなことで、人はその瞬間に後悔するのでしょうか。

ひとつひとつ、考えてみましょう。

通り一遍のお葬式でいいですか?

やはり、まず現実的なことで後悔することが多いようです。

遺産をどうするか、自分の葬儀をどうするか、お墓はどうするか。

これらはみなさん、心配されていらっしゃいます。


遺産について。お金持ちの方はそれなりに準備をしているでしょう。とくに億単位の資産を持つ富裕層の方は、法的に有効な遺言書を作成している人が多いそうです。

でも普通の人は、「何百万のお金をどうするか」なんて考えていない場合がほとんどです。金額が少なくても、遺産でもめることはとても多いので、ぜひご自分で決めておくことをお勧めします。

これは個人的な考えなのですが、たとえば子どもに完全に公平に分配するより、介護してくれたり、病気のときに一番世話をしてくれたりする子に多めにしておくと、よいのではないでしょうか。

それには理由があります。

病気のときのお世話というのは、本当に大変です。しかも他人にも業者にもまず頼めません。お金で解決ができないのです。

外来の通院に付き添ったり、緊急入院時に着替えを大急ぎで持っていったり、医者から突然呼ばれて病状の厳しい話をされたり。ときには家でする点滴の針をからだに刺したり、点滴を交換したり、血糖値を測ったり。そんなこともご家族がされることはけっこうあります。

とてもではないですが、日中にフルタイムの仕事をしながら病人のお世話はできません。

あんまり大変なので、看病疲れで体調を悪くされる患者さんのご家族もたくさんいらっしゃいます。

そういった方への感謝の気持ちの表現として、きちんと遺産が行くようにすることは、意味のあることだと私は思うのです。

それから、あまり考えたくないですが、葬儀のこと。

これもある程度自分のご希望を、喪主となるだろう方にお伝えしておくとよいと思います。

そうでないと、けっこう大変だからです。

私の個人的な経験をお話しさせてください。

私は事情があり、祖母が亡くなったときに、葬儀社探しから日取り決め、四十九日まで、ほぼすべて自分で手配しました。

通常病院で亡くなった場合は、葬儀社を紹介してもらえます。私の祖母は、自宅でお看取りをしたので、すべて一から探す必要があったのです。

インターネットで「葬儀社　神奈川」と検索して、ひとつひとつ値段と内容を調べ、電話しました。祖母が眠っている隣の部屋で、何社かの担当者と面談をし、見積もりを出してもらって決めたのです。


一口に葬儀社と言っても、いろいろなところがあります。まず必ずあるのが、大きい看板で見慣れた地元密着の大手。それから、小さいが家族経営のようなアットホームなところ。ほかにも、全国でチェーン展開しているグループの葬儀社があります。

いろいろと決めていくなかで、私は正直とても困ってしまいました。

なぜなら、祖母が「どんな葬儀にしてほしいか」なんて、孫の私には見当もつかなかったからです。

祖母は大正生まれの真面目な優しい人でした。使用人が何人もいた佐賀の大きな家の娘で、当時では珍しく女学校まで卒業したそうです。

出版社勤めの祖父が亡くなってからは、割とのびのびと趣味を楽しみながら過ごしていました。六十歳を過ぎてから始めた趣味のステンドグラスをよく作っていたのを覚えています。晩年は糖尿病と心不全と腎不全と肝硬変を発症しながらも十年くらい元気に頑張った、医者の目線で見れば「奇跡の人」です。

近所の主治医の先生のきわめて絶妙な投薬が、祖母を十年も生きさせてくれたのです。有名でない小さい病院にも、名人のような医師はひっそりといるものです。一家族として、そして一医師として大変に尊敬をしています。

残念ながら家族の誰も、祖母と葬儀の話をしたことはありませんでした。もちろんある程度本人の好みは知っていますが、なんと言っても主役に聞けないので、どうすればいいかわからなかったのです。そこで、家族経営の小さい葬儀社に頼んで、あれこれこちらのわがままを言わせていただき、手作りの式にしようと思いました。

寂しがり屋だったから、あまり寂しくない方がいい。

花が好きだったので、きれいな花がたくさんあった方がいい。

そして祖母が生前趣味で作ったステンドグラスをあちこちに飾り、本人の若い頃からの写真を大きくプリントしてたくさん並べよう。

そして孫が本当に大好きだったので、孫から祖母へ手紙を読もう。

……と、こんなふうに想像して、すべて実現させ、とり行いました。手作りの、とてもこころのこもった式になりました。

私は一週間も仕事を休みましたが、職場のドクターの理解をもらえたのは、とてもありがたいことでした。


そうは言っても、多くの人はなかなかこうはいきません。

病院で亡くなり、気づいたらそのまま病院の出入りの葬儀社の車に乗せられ、その葬儀社に言われるがままに、二、三日後にはお通夜、そして葬儀です。プランは松・竹・梅とあり、それぞれ二〇〇万円、一五〇万円、一〇〇万円くらいです。そもそも時間がなく、自分の親が亡くなった哀しみとパニック、それに看病疲れなども重なって、ゆっくりと準備などできません。

祖母のケースは、おそらく私が息子ではなく孫であったので、まあまあ冷静に対応できたこと、医師だったのでいつぐらいの臨終か予測できていたこと、それに職場に無理を言い一週間の休みをいただいたこと、祖母の娘二人の献身的な看護のうちに家で看取ったこと、私を含め孫が協力して準備ができたことなどが幸いして、あたたかいセレモニーができたのだと思っています。

祖母は、最期は肝硬変から肝不全になり、肝性脳症という体内のアンモニア濃度が上がった状態になりました。最期の数日は意識がほとんどなくなり、昼も夜もこんこんと眠り続けるようになりました。肝性脳症という状態は、「多幸感《たこうかん》に包まれたような状態」と言われており、とくに痛そうなそぶりも辛そうな表情もなく、すやすやと眠るようになります。

私は、祖母の娘二人、つまりは母と叔母さんに対して、「今おばあちゃんは苦しくも痛くもないだろう、ただゆっくりと眠っているだけだ」と説明し、彼女たちを襲う不安と焦燥感を取り除こうとしました。そして祖母は、ゆっくりゆっくりと夏の夕陽が山際に隠れていくように、愛する人々に見守られながら亡くなっていったのです。

その穏やかなラストシーンも、私や家族の心の準備がしっかりできたから実現したのかもしれません。

ご想像ください。

ご自分の葬儀って、いったいどのようなものだと思いますか？

通り一遍の、葬儀社のパターン化されたお葬式スタイルでいいのでしょうか。

最近では、亡くなる前に葬儀社と相談して、誰を呼ぶか、密葬かどうか、戒名はどうするか、そして骨壷のランクまで決める方もいらっしゃるそうです。

「生前葬」と言って、本人が生きている間に行う葬式だってあります。

ぜひ、あなたも自分のお葬式、ご自分で決めておいてください。

あなたが不在とはいえ、あなたが主役になる本当に最後のセレモニーなのですから。

遺品整理は自分のため、大切な人のため

遺品の整理も、大切なこと。

これは少し意外に思われるかもしれません。

でも、末期の患者さんはよく私にこんなことをおっしゃいます。

「先生、最後に一日だけ家に帰って、荷物の整理がしたいんだ」

この一日のために、点滴や痛み止めなどをやりくりし調整します。そして病院からご自宅へ、かなり大変な思いをされて外出や一泊の外泊に行かれるのです。

医者になってはじめの頃は、「なぜ荷物の整理なんかのために、こんなに辛い思いをして外出されるのだろうか」と思っていました。

でも途中で、教えていただきました。実は、ご自宅に帰ってただ荷物の整理をするのではなく、ご家族に遺す大切な書類を取り分けたり、事務的な手続きをしていらっしゃるのです。そして、見られたくないものを処分することも、大事な作業だそうです。

自分で自分の遺品を整理するのは難しいことですが、かと言って残された家族にとってはさらに大変な作業です。愛する人の思い出の品を捨てるのは辛いですが、すべてとっておくわけにはいかないからです。

自分の遺品の整理。

それは、大切な人への優しい行為なのですね。


想像してみてください。

きょう、もし仮に事故にあって、亡くなってしまったら。

あなたの家のあなたの部屋の荷物は誰が片付けますか？　配偶者ですか？　お子さんですか？

あるいはおひとりなら、他人が片付けることになるかもしれません。


職場の荷物はどうでしょうか。

知り合いの弁護士は、心筋梗塞で急に亡くなったボスのデスクの遺品を整理していて、大量のがん関連の本を発見して驚いたそうです。そのボスは、職場ではがんだったことを隠していらしたそうで、遺品整理で初めてみなが知ったそうです。

しかも、月刊のがんの雑誌が、なんと二年分も置いてあったそう。親しい部下にも秘密にしながら、ずいぶんと思い悩まれたボスの心を想うと、切なくてなりません。

今一度、職場のデスクを見てみてください。

あなたが突然いなくなったあとに見られたくないものが、ひとつや二つはあるのではないでしょうか。

自分という存在がこの世から消える恐怖

ここまで、「死ぬときに後悔すること」のなかでも「現実的」なものを挙げてきました。でも、ほかにも死ぬときに後悔することはあります。

たとえば、こんな具合です。

・やりたい仕事ができなかった。
・結婚をしなかった。
・子どもがいなかった。
・この世に生きた証を残さなかった。この世に自分の足跡を残せなかった。

こういった自分の「実存」に関わる後悔は、亡くなる間際に少し特別な「痛み」を生じさせます。

この痛みのことを、「緩和ケア」という分野では「スピリチュアルペイン（魂の痛み）」という言葉で説明しています。

「スピリチュアルペイン」とは、最近流行《はや》りのスピリチュアルな精神世界の用語ではなく、ちゃんとした医学用語です。いろいろ定義がありますが、「自己の存在と意味の消失から生じる苦痛」という意味です。もっと簡単に言えば、

「自分という存在がこの世からいなくなってしまうことに対する、強い恐怖」

と言ってもいいでしょう。

このスピリチュアルペインには、正直なところ、医者はほぼ無力なのです。おそらく人生最大の、最悪の一番の苦しみ、恐怖に対して、虚しいことに医者も病院も何もできないのです。つける薬も、飲み薬もありません。

以前、外国人の患者さんを、お看取りしたときのことです。社会的地位の高い人で、お金持ちだったのでしょう。料金の高い個室に長い間入院していました。日本語は喋れませんでした。

そして、ついに主治医から、「余命はあと一カ月」と宣告されました。

説明をした部屋から自分の部屋に帰るまでの間、彼は泣いて叫んで、大暴れをしました。病棟中に外国語の叫び声が響いていました。叫び声はその日から毎日続きました。パニックに陥ってしまうこともしばしばでした。

医師たちは何もできず、ただ話を聞き、部屋を訪問するだけでした。ベテランの、英語も話せる看護師さんがゆっくり話して、なんとか落ち着いていただきました。

日本人はもともと我慢強く、文句を言わず、あまり自分の言い分を主張しない人が多いように思います。

私はそれまでに、「ありがとうございました」と、息も絶え絶えなのに頑張って起き上がって、われわれ医師に頭を下げる患者さんをたくさん見てきました。今でも信じられないのですが、亡くなる当日の朝でも、「先生、お忙しいところすみません。ありがとうございます」と力を振り絞っておっしゃる方がとても多いのです。

なんだか不思議だと思っていたのです。本当なら夜も眠れず、あちこちだるくて、息も苦しくて、目前に死が迫るという最悪のコンディションなのに、なぜ文句ひとつ、泣き言ひとつ言わずにいられるのでしょうか。私たち医師に気を遣っているのでしょうか。

私はなんとも無知で間抜けなことに、患者さんはみな最後には死を受け止め、受け入れているのだと思っていました。すごいなあと思っていました。

でも、違いました。

そのとき、その外国人の患者さんの叫び声を聞いて私は初めて感じたのです。

死にゆく人々は、本当はみな大声で泣き叫びたいのだと。パニックで大暴れしたいのを、必死でおさえ堪《こら》えているのだと。

そうであるのに、まわりの人を困らせてはいけないと気を遣って、こころに吹き荒《すさ》ぶ嵐のなかで、じっと黙ってうずくまっているしかない。

この人生最後の、最大の恐怖の嵐を、なんとかしたい。なんとか和らげることはできないだろうか。

私はいつも、そのことを考えています。

こころの奥の奥から聞こえる微かな声

「いつ自分ががんになってもまったくおかしくないのだ、いつ自分が死んでもまったく不思議ではないのだ」

医師になって少しして、二十代や三十代で若くして亡くなってしまう患者さんを見るたびに、私はそう意識しはじめました。医学生とはいえそれまで普通の人だった私が、日常的に親しい人（患者さん）の死に直面するようになったのです。その頃は一カ月に三人くらいはお看取りしていたでしょうか。

すると、具体的に自分のこととして考えはじめるようになったのです。

「あと十年だったらどうするか？　はたして今の仕事、今の生活のままでいいんだろうか？」

「あと五年なら？」

「あと半年だったらどうだろう？」

そして気づきました。これは、自分のこころの奥の奥にある本音を、引き出すための行為なのだと。

このような自問自答を繰り返すことで、私にはそれまで聞こえなかった自分のこころの声が、微《かす》かに聞こえるようになってきました。

人間の心理には階層があって、深いところの心理はふだん表に出ることがありません。自分という人間の根本にある一番大事な気持ちがなんなのか、自分にはわからないのです。そういう気持ちが存在することにすら気づかない人がほとんどです。

それが、ふとしたことがきっかけで、マグマが噴出するように表に出てくることがあります。

どんなときでしょうか？

それは、自分のいのちが本当に危険にさらされたときです。

そのきっかけを、「限界状況」と名付けた人がいます。

ドイツの哲学者であるカール・ヤスパースです。ヤスパースは、人は「自己の死」や「原罪」などに突き当たることによって、「実存に目覚める」のだと言っています。「実存に目覚める」とは、「自分のこころの底からの本音を聞いて自覚する」ということです。

つまり、人間は自分の生命が脅かされるほどの「限界状況」におかれたとき初めて、自分の本音を知るのです。


百歳を越えて、なお現役で医師を続ける聖路加国際病院の日野原重明さんは、一九七〇年に起きた「よど号ハイジャック事件」のとき、まさにその「よど号」に乗っていました。そこで彼はいのちの危険を強く感じました。幸い韓国の金浦《キンポ》空港で無事解放されましたが、それ以来お金や出世などはどうでもよくなったそう。感謝の念とともに「これからの人生は与えられたものだ。誰かのために使うべきだ」と思い、日本の医学の進歩に献身的に尽くされました。数年前までは、九十歳を超えてもなお内科の学会に参加し、広い広い会場を端から端まで歩いていろいろな医師と議論を交わしていました。

日野原さんは、現実的にいのちの危険に遭遇し、「死を想う」ことで自らの生き方を変えたのでしょう。

しかし残念なことに、一度も自分の本音を聞かずに、最期のときを迎えてしまう人も少なくありません。

ぜひ自分の声を聞いてあげてください。それはきっと、小さくて声にもならない声ですが、こころの一番奥から出ている声なのです。

「死を想う」ことができない現代の生活

そうは言っても、「自分がいつか死んでしまうという事実」を本気で考えたことがある人は、ほとんどいらっしゃらないでしょう。せいぜい自分の肉親や友人など、かなり親しい人を亡くしたときに、「いつか自分もこうなるのかな」とぼんやりと考えるぐらいでしょうか。

たしかに、「自分が死ぬ」ことをいきなり想像するのは難しいことです。誰もが日野原さんのような体験をするわけではありません。とくに現代では、「死」というもの自体が生活のなかにまったく存在しないので、余計イメージしにくいと思います。

一昔前の日本では、みんな自宅の畳の上で生まれ、死んでいきました。自分の家で通夜や葬儀を行いました。おじいちゃんやおばあちゃんが、息が止まり、心臓が止まり、だんだんと冷たくなり死後硬直で硬くなっていくのを、目で見て肌で感じていたのです。

しかし今は違います。「死」は忌避すべきタブー、不浄なものとして日々の生活から徹底的に切り離されてしまいました。

病院で人が亡くなるとすぐ、葬儀社がご遺体を引き取ります。そしてお通夜を迎え、葬儀を迎え、火葬しお骨を拾うまで、ほとんど直接死者に触れる機会はありません。今の日本では、道端に行き倒れの仏さんがいる、ということもまずありえませんよね。

ですから今、日常的に「死」を感じているのは、医者や宗教者、そして葬儀社の人くらいのものです。

アカデミー賞外国語映画賞を受賞した映画『おくりびと』では、遺体を棺に納める納棺師の主人公が奥さんに自分の仕事のことを伝えると、「そんな汚らわしい仕事は辞めて」「触らないで、汚らわしい」と言われて実家に帰られてしまいます。

それほど、現代の日本で「死」はタブー視されているのです。誰もが死ぬことは確実なのに、です。

だから、「死を想え」と急に言われてもピンと来ないのだと思います。

来年歩けなくなるとしたら、今どこに行く？

そこで、ご自身の本音を聞くためのきっかけとして、こんな質問をさせてください。

「もし一年後に歩けなくなるとしたら、この一年でどこに行きますか？」

なるべく具体的に答えてください。五個挙げましょう。

・
・

・・・

私の答えはこうです。

・マチュピチュ
・南極
・アフリカでゾウを見る
・第二の故郷、鹿児島と屋久島
・紛争地域で働く

マチュピチュはいつか行きたいところです。ほかは楽しい思い出があるところ。あとは「国境なき医師団」で働きたいという昔からの夢に沿ったものです。

では次の質問です。

「もし一年後に目が見えなくなるとしたら、何を見ますか？」

具体的に答えてください。五個挙げましょう。

・・・・・

私の答えはこれです。

・オーロラ
・初恋の人
・薄暮の桜島

・フェルメールの絵を全部
・故郷横浜のみなとみらいの夜景

いかがでしょうか。私の原風景である故郷の横浜、それに、大学時代を過ごした鹿児島県の桜島が挙がりました。自分のこころの奥の声が微かに聞こえてきました。

次の質問です。

「もし一年後に口からものが食べられなくなるとしたら、何を食べておきたいですか？」

具体的に答えてください。五個挙げましょう。

・
・
・
・

・

私は……。

・納豆を、とにかくたくさん
・行きつけのお寿司屋さん「和可奈鮨《わかなずし》」のお寿司
・CoCo壱番屋のビーフカレー、納豆トッピング
・母の作る、味のしない春菊だらけの水炊き
・鹿児島の吹上浜《ふつきやげはま》でサッカー部の先輩や後輩と食べた、スイカ割りのスイカ

高級なお店のコース料理より、ふだん食べるものや思い出と結びついた食べ物が多いようです。どうやら私は、大学時代を過ごした鹿児島に帰りたいようです。

次の質問です。

「もし一年後に話せなくなるとしたら、誰と何を語りたいですか？」

具体的に答えてください。五個挙げましょう。

・
・
・
・
・

私は……。

・大学時代の友人たちと芋焼酎を飲みながら、医学について、いのちについて、話したい
・両親と、他愛もない昔話をしたい
・伝えられなかった想いを、あの人に伝えたい
・日々接している患者さんと、仕事を忘れゆっくりと病気以外のお話をしたい
・大学時代のサッカー部のみんなと、大声を出してサッカーをしたい

また実家の両親と、鹿児島のことが出てきました。

次の質問です。

「もし一年後に耳が聴こえなくなるとしたら、何を聴いておきたいですか？」

・・・・・

私はこうです。

・ドビュッシーの「月の光」
・夕暮れどきの、近所の商店街の喧噪
・雨の音を、縁側で飽きるまで

さつま

・プッチーニのオペラ『蝶々夫人』のアリア「ある晴れた日に」
・昔のバンドのメンバーと集まって、スタジオで自分が叩くドラム

たくさん質問に答えていただきました。

いかがでしたか。
実現できそうにもない、突拍子もないとんでもない答えばかり並びましたか？
それとも、何気ない日常の一場面でしたか？
答えのなかから、あなたの本音の声が、聞こえてきませんでしょうか？

たしかに存在する「ある力」

少し話は変わります。
ささやかな、暴露話をさせてください。
病院で医師として働いていると、しばしば不思議な現象に遭遇します。

私の病院はがんの専門病院なので、亡くなる方も多いのです。おそらく平均して一日に数人は病院で亡くなっていることと思います。

ある患者さんをお看取りした、つまり死亡確認をした数秒後に、隣の部屋の患者さんと笑顔で話さねばならないことだってあります。病院とは濃厚に死が存在する場所でもあるのです。

不思議な現象とは、いわゆる超常現象のようなものや、医学的に信じられないような患者さんの経過などです。

「誰もいないはずの部屋のナースコールが鳴った」。これはよく看護婦さんから聞く話です。つい先日も、誰も入院していない個室で、窓が閉めてあるのにカーテンがずっと揺れていました。

お見舞いに一緒に来た赤ん坊が、何もないところを見てきゃっきゃっと笑っていたり、小さい子どもが誰もいないところを指差して「あれ誰？」なんて言うシーンは、私自身も見たことがあります。

がんの末期の患者さんのお話です。

二週間ほど意識もなく、ここ五日は尿も一滴も出ず血圧も六〇台という、いつ息を引き取ってもおかしくない状況の方でした。毎日こんこんと眠り続けていらっしゃいました。

七年前からずっと付き合ってきた主治医は、五日ほど出張で海外の学会に行っていました。その主治医が海外から帰ってきた日、たまたま病院の当直でした。眠り続けていた患者さんは、主治医が帰国した日になって急に血圧が下がり、永眠されたのです。

主治医に看取られて、安心して最期を迎えられたように見えました。まるで主治医を待っていたかのような、「不自然な」経過でした。


手術後に不幸にして脳梗塞を発症し、意思の疎通が不可能で、さらにまったく動けなくなってしまったご高齢の男性がいらっしゃいました。脳梗塞は脳に栄養を運ぶ血管が詰まって、その先の脳が部分的に腐ってしまう（壊死《えし》と言います）状態です。重度の場合には、もとの状態に戻ることはまず不可能です。

ですが、そのおじいさんがある日突然しゃべりだして、ご飯をぱくぱく食べだしたのです。「どうしたんですか」と尋ねると「もういいかなと思った」とおっしゃいました。まるで狸寝入りをしていた、とでも言いたいようでした。

しかしたしかに麻痺もあったし、採血検査のときに針をちくっと刺しても、ほとんど意識がなくぴくりとも反応しなかったほどです。頭のMRI検査でも、脳梗塞の所見はありました。

百歩譲って徐々に改善することはありうるかもしれませんが、突然というのは医学的に説明ができません。私たちが大喜びしたのは言うまでもありませんが、今思い出しても不思議ですね。


ある冬の寒い日のこと。公園で凍っていた男性が救急車で運ばれてきたことがありました。凍《こご》えて、ではありません。そう、文字通り「凍《こお》って」いたのです。

意識はなくからだもカチカチに凍っており、心臓もぴたっと動きを止め、いつから止まっているかわからない状態でした。私たちはとても困ったのですが、とりあえず点滴をして温かいお風呂に入れ、そのなかで汗だくになって心臓マッサージを二時間続けました。そうしたらなんと心臓が再び動きだし、生き返ったのです！

病院に着いたときには体温が三一度くらいでした。人間の体温は普通であれば三六度くらいですから、大変な低体温です。その低温が脳を保護したから生き返ったのだろうと思いますが、やはり奇跡的な復活です。その方は二カ月ほど入院して、なんの障害も残さずすたすたと歩いて帰っていきました。

私は医師であり、同時に自然科学を専《もっぱ》らとする科学者でもあります。科学者は科学で説明できない超常現象の存在を、たやすく認めません。私も科学者として、基本的にはそういった不思議な現象を認めたくはありませんが、実際にこうも頻繁に出会ってしまうと、認めざるをえない気もするのです。

今の科学が追いついていないせいなのか、あるいはそもそも科学のことばで語る種類のものではないのか……。

医師がこういった不思議な現象を語ること自体、胡散《うさん》臭いので私はあまり好みません。

現代日本の、そして世界の本流である西洋医学は、あくまで人間をいろいろなパーツに分け、ばらばらに考えて治療することで、一定の成果を上げてきました。江戸時代には「人生五十年」だったのが、今は八十年にまで延びたのですから、大変な成果です。

ばらばらに考える、とは、まず人間をこころとからだに分け、からだを胃や肺、手や足などの各部位に分けて考えるという意味です。これを「分析」と言います。一度ばらばらにし、ひとつひとつの臓器をじっくり見て、そしてジグソーパズルを完成させるように統合させて、ひとりの人間として観察するのです。

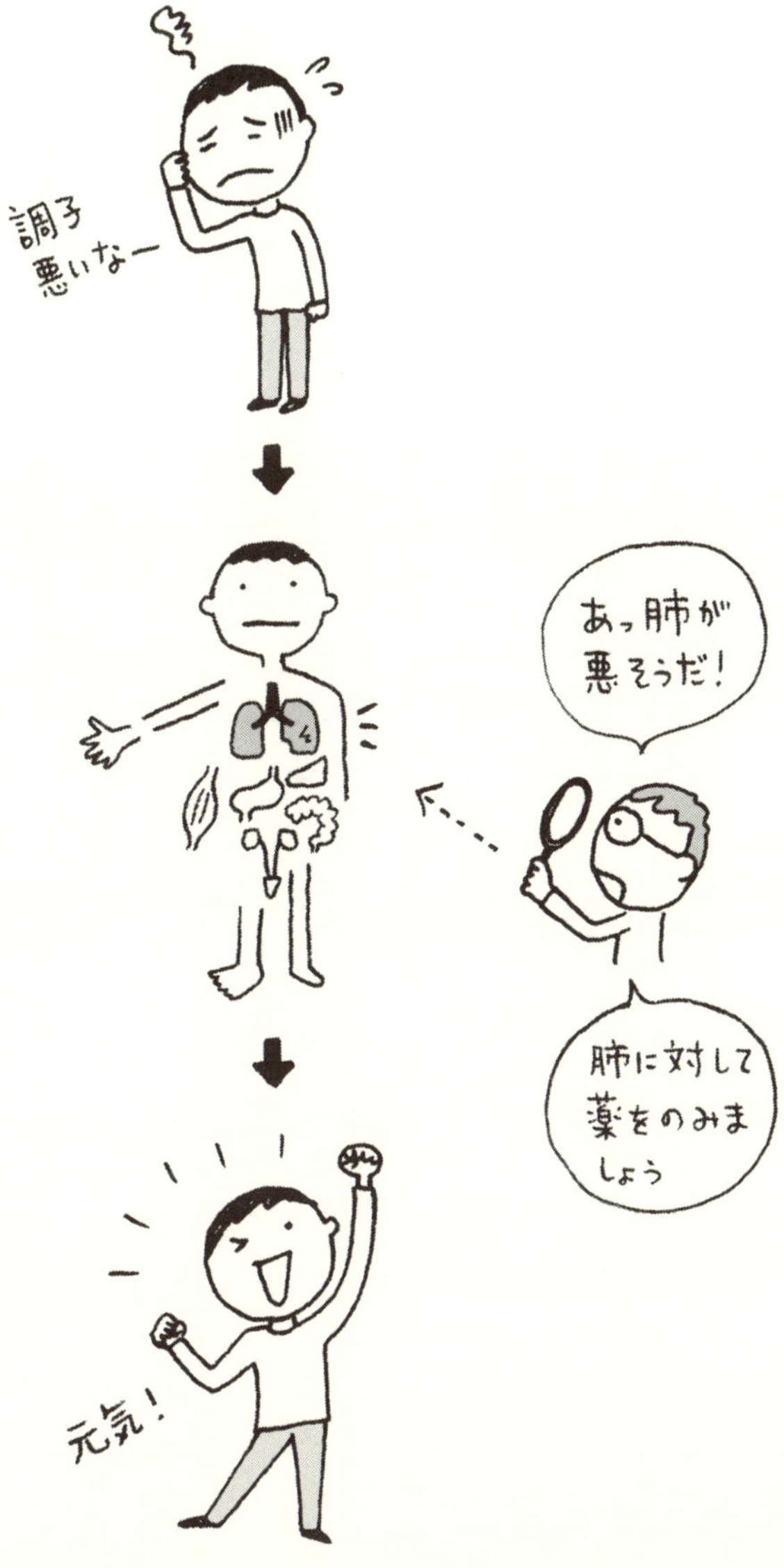
調子
悪いなー
あっ肺が
悪そうだ!
肺に対して
薬をのみま
しょう
元気!

たとえば、あなたが三八度の熱を出して病院にかかったとしましょう。医師は、まず熱についてたずねます。「いつから？」「一番高かったときは？」

それから、各臓器についての問診を始めます。本当は頭のなかから足の爪先まで全部の臓器を詳細に調べたいのですが、時間がないので異常のありそうな順に聞きます。

「のどは痛みますか？」「咳や鼻水は？」「頭痛は？」「おしっこはちゃんと出ていますか？」「お腹は痛くない？　下痢はしていない？」といった具合に。

それぞれの臓器の具合を聞いて、悪そうな臓器があればそこに対して診察や検査をします。

そして最後にこう言います。「疲れがたまっているようだから、十分に栄養を摂って休養をしてください。脱水ぎみにもなっているから、水分は多めに摂るようにしてくださいね」

つまり最後に統合するのです。

「分析」と「統合」、これが西洋医学の手法であり、科学のやり方です。

しかし、さきほど挙げたような例は、自然科学を拠りどころとした西洋医学では説明がつかないのです。

それを神と言えばいいのか、絶対者と言えばいいのか、わかりません。しかし医療者であればみな、実は万物を超越した存在を感じていると思います。合理的な説明のつかない現象を目の当たりにしている我々は、その見えない「ある力」の存在を否定できないのです。

だから私は、想定外のことも想定します。

というより、想定外のことなど何もないと考えています。

本当に、何が起きても不思議ではないこの世の中、「事実は小説より奇」です。

「何が起きても不思議ではない」と心底思うことができたなら、不測の事態にも動揺が少なくてすみますよね。

実は医師には、結構ゲンを担ぐ人がいます。

私は手術を執刀するときは必ず、赤いパンツをはくようにしています。手術の前に祈りを捧げる外科医もいるそうです。アメリカの医療ドラマ『グレイズ・アナトミー』でも、心臓外科医が手術時に必ず着けるお気に入りの手術帽子を紛失し、「これでは手術ができない！」と言ってパニックに陥るシーンがありました。

きっと医師という生き物は、嫌というほど実感しているのでしょう。自分の手の及ばないところに、たしかに「ある力」が存在するのだ、ということを。

柱も屋根もない、日本人の個人主義

その昔、医師と患者の関係は、明確に「治療する側」と「される側」に分かれていました。

患者さんは聞かれたこと以外発言せず、もちろん文句など言わず、ベッドの上で正座をして言うことといえば「先生にすべてお任せします。ありがとうございます」。冗談のようですが、私が医学生の頃はこんなシーンをしょっちゅう目にしました。良くも悪くも患者さんは全幅の信頼を医師に置く。医師は自分で治療方針を決定し、その結果にすべての責任を持つ。

とくに患者さんががんだった場合、昔は家族と一緒になって嘘をついていました。膵臓がんの患者さんには膵臓炎、胃がんは胃潰瘍と言って治療をしたのです。

もちろん、病状が進行すれば患者さんは気づきます。どうやら自分は帰れそうにない。どんどん病状は悪くなっていく。もしかしてこれはがんではないか……。

実際に気づいていた患者さんも多かったと聞きます。気づいてもしかし、必死に隠そうとする家族と医師を慮《おもんぱか》って、気づかぬふりをしたまま亡くなっていく人は多かったでしょう。

不自然で苦しい嘘をつかねばならない反面、暗黙の了解のもと気を遣い合う「優しい時代」だったのかもしれません。

なぜこんなことをしていたか。ひとつには、ほんの数十年前まで、「がん」とは「不治の、必ず死んでしまう病」だったからです。本人にがんと伝えることは、死の宣告とイコールでした。

そしてもうひとつには、患者さんの「自己決定権」や「知る権利」といった、個人の権利が意識されていなかったこともあります。

しかし、時代は変わりました。

二十一世紀に入り十年以上もたち、がんの患者さんにはがんと告知するようになりました。告知をしないで治療をすることは、基本的には許されなくなりました。

いまやがんの患者さんは、ほぼ全員自分ががんであることと、自分のがんのステージを知っています。

どうして時代は変わったのでしょうか。


実は、二つの理由があります。

ひとつ目は、がんが治るほど医学が進歩したことです。

もちろん種類により治らないがんもまだありますが、たとえば早期の胃がんや大腸がん、乳がんは適切な治療により高い確率で治ってしまいます。

また、ステージⅣという最も進行した段階であっても、たとえば大腸がんであれば平均して二年半以上は生きられるようになってきました。

三十年前は、ステージⅣの大腸がんの患者さんは半年で亡くなっていたことを考えると、大きな進歩です。手術や抗がん剤、放射線治療の進歩の結果です。そして今後さらに良くなっていくと考えられます。


私の専門の大腸がんでは、早期の患者さんは、内視鏡でがんを取りきれれば手術さえせず治ることもあります。手術が必要になっても、手術の翌日にはすたすた歩き、翌々日にはご飯を食べて、手術後四日で退院していく人がだいぶ増えてきました。三十年前は手術後に一週間絶対安静で一カ月くらい入院していたわけですから、驚くべき進歩です。

そしてもうひとつの理由には、「アメリカ」が挙げられます。

彼《か》の国では一九六〇年代から「個人の権利」が叫ばれ、「患者の権利」も同様に重要視されました。

「患者の権利」とは、「自分の病状を正しく知り、自分で治療を選択する権利」と言い換えることができます。「自己決定権」もこれに含まれます。

個人主義が発達したアメリカでは、この「患者の権利」を当然のこととして受け入れ、医療サイドにも患者サイドにも浸透してきました。

それに加え訴訟社会のアメリカでは、病状から治療の選択肢まですべて提示し、患者の自己責任のもと治療法を選択させることで、医師が自らの身を守るようになりました。

アメリカの外科医は、保険会社に年間数百万円から一〇〇〇万円以上を支払います。日本の外科医は、年間六万円も払えば、一回の訴訟で二億円の損害賠償金を保障する保険に入れます。

この「個人主義」が、医療においてアメリカから直輸入されました。人々の要請というよりは、医学界の保身のためであったような印象も受けます。いずれにせよ、かなり無批判に、ただ直接やり方だけを輸入したのです。日本のほかの分野でも、よく見かけることですね。

直輸入した結果、医師はとにかく患者さんに病名を告げます。正確な病名と、進行度を。場合によっては見通しも含めて話します。

「あなたは胃がんがあり、肝臓にも転移しています。リンパ節にも多数転移しており、ステージはⅣです。手術で胃を全部とらないと、すぐにご飯が食べられなくなります。胃をとっても、ほかに転移しているので、手術のあとなるべく早く抗がん剤を用いなければなりません。抗がん剤を用いても余命は一年くらいでしょうか」

といった具合に。

基本的には、どんな人にも本当の病状をお話しします。家族がいない患者さんは、これをひとりで聞かねばなりません。二十代のフリーターにも、六十代の会社重役にも、生活保護を受けている身寄りのない八十代の人にも、です。

「はたして患者さんはこの現実に向き合えるのか。自分が不治の病にかかり、余命が宣告されることに耐えられるのか」

私はいつも疑問に思っていました。

そういった辛いお話を説明したあと、失意のまま病院に来なくなった患者さんもいます。その後どうなってしまったのでしょう。

驚きのあまり、「西洋医学は間違っている」と言って怪しげなサプリメントを出す店に通い、手の施しようがなくなってからまた外来にいらした方もいます。

アメリカでは個人主義が発達していますが、ひとりひとりは、愛国心や信仰といった精神的支柱を持っています。

しかし今の日本人には、精神的なバックボーンがありません。

宗教がない。愛国心がない。そして最近では家族がない人も増えている。

信じる神を持ち、来世を信じて死を笑顔で受け入れる人はごくまれです。愛する人を守るために若くして死んでいった特攻隊員のように、集うべき靖国の桜を持ちません。主義もなく、宗教もなく、血縁関係も希薄なのです。その意味では歴史上かつてないほど「孤独」であると言えます。

そんな日本人が、見よう見まねでアメリカ式個人主義を「直」輸入してしまいました。精神的支柱を持たぬ人が、ひとりでは耐えられそうにない精神的なショック、いや全人的なショックを、簡単に医師から与えられてしまうようになったのです。病院の一室で、カウンセラーもおらず、相談できる人もいないなかで。

そのようなクライシス（＝危機）が今、日本中で起きているのだと思います。

やや極端とも思える愛国的な行動や、一昔前の新興宗教ブームや、「生き方のマニュアル」本の連続ヒットは、そのクライシスへの一種の防御反応ではないか。私はそう感じています。

では、私たちはどうしたらいいのでしょうか。

大嵐が吹き荒ぶなか、頑丈な柱も屋根も持たない、わらで作った家はどうなってしまうのでしょうか。

私がお伝えしたいのは、だからこそ、個人のレベルで、ひとりひとりがまず「死を想って」いただきたいということです。

「死を想う」ことが、直接あなたの精神的なバックボーンを作るわけではありません。

でも、死を想い、自分の本音に耳をそばだて、自分にとって本当に大切な人と一緒にいることは、あなたという家を、ささやかながら頑丈にします。大嵐の衝撃を和らげてくれるのです。

「きっといつか」は、もうやめる

私の家の近くに、ヤマハの音楽教室があります。いつも教室の前を通るのですが、気になるポスターが貼ってあります。そのポスターには、「きっといつか、が今なんだ」と書いてあるのです。


きっといつか、幼少の頃かじったピアノをもう一度弾いてみたい。

きっといつか、憧れのバンドの曲をギターで弾きたい。

そういったぼんやりとした願望を持つ人は多いでしょう。私もいつか、ドビュッシーの「月の光」や「アラベスク」を弾くために、ピアノを習いたいと思っています。

でも、いつかというタイミングはなかなか訪れません。多くの場合はそのまま立ち消えてしまいます。

何かきっかけがなければ、一歩を踏みだせません。

そのために「今なんだ」と期限を付けて、踏みだすよう促すコピーです。ドキッとしますよね。

また、私の卒業した鹿児島大学の先輩でもある、元京セラ会長の稲盛和夫氏は著書『生き方』（サンマーク出版）のなかでこう言っています。

……私は長期の経営計画というものを立てたことがありません。もちろん、経営理論に基づいた長期の経営戦略などの必要性や重要性は、承知しているつもりです。しかし、今日を生きることなしに、明日はやってきません。明日もわからないのに、五年先、十年先のことがはたして見通せるでしょうか。まずは、今日という一日を一生懸命に過ごすこと、それが大切だと思うのです。

あの巨大な企業を一から作り上げた稲盛氏が、長期の経営計画を立てたことがないというのは大変な驚きです。

稲盛氏は、自ら「期限はきょうまで」と決めて一日一日を必死に働いてきたのでしょう。

もちろん頭のどこかに長期的な視野があったのでしょうが、あえて期限はきょうまでと決めることによって、やるべきことと優先順位が明確化し、しかも頑張れたのだと思います。

これは「締め切り」を決めることのお手本だと思います。

私たちの一生も同じではないでしょうか。

明日が締め切りだとしたら、きょう何をしますか？　来月が締め切りだとしたら？

エッセイ

世界一の優しさ

ある患者さんのお話です。

一年前に大腸がんと診断された患者さん。私の上司が主治医だった。

何度か入院するたびに、なんとなく気になってよくお話をした患者さん。大腸がんの手術をしてしばらくたって、肝臓に転移してしまった。肝臓は手術で取りきれるものではなかったので、外来に通院しながら月に一回抗がん剤の点滴を受けていた。

たまに外来でお会いした。病気の進行で体中だるいだろうに、採血検査のデータも異常値だらけなのに、まだ頑張る、もう少し頑張るとおっしゃっていた。あちこち痛いし、だるいし、ふらふらするし、かゆいだろうに。

いつでも入院していいんですよ、しんどいですよね、無理はしないで、とことばをかけてもやっぱり、もう少し頑張るとおっしゃった。

若い娘さんがいた。私よりちょっと若いだろうか。すっきりとした、潔い感じの顔立ち。いつも闘病中の母に付き添って外来に来ていた。

私はお会いするたびに、思った。

ものすごくしんどいだろう母が気丈にふるまう姿を、娘さんはどんな気持ちで見ているのだろう。私や他の医師に、看護師に、ベッド上で動けない母の代わりと言わんばかりに、深々と頭を下げる。どんなにか辛いだろう。やつれて、顔色がどんどん悪くなっていく母をどんな気持ちで見つめているのだろう。

地下の霊安室の前の廊下は朝からひんやりとして、物音ひとつしない。

霊安室に近づくにつれ、私は感じる。

人が死ぬということ。死んだ人がいるということ。

その事実がまわりの空気を冷やしている。人びとがなんとなく避ける、直感的に感じる予感。忌避の予感。

亡くなった患者さんに花を手向け手を合わせた。知らないご家族が一〇人くらいいらしたので、私は逃げるように立ち去ろうとした。

自分の担当患者さんが亡くなると、なんとなくご家族に合わせる顔がなくなる。気まずくなる。目を合わせづらい。申し訳ない気持ちでいっぱいになる。むなしさと、敗北感がどっと押し寄せてくる。

ご愁傷様です、などと絶対に言えない。そんな他人行儀なことは言えない。医師にとって患者は他人ではない。患者の死は他人事ではない。しかし家族でもない。思い切り哀しむわけにはいかない。声を上げて泣くわけにはいかない。しかし思い切り哀しい。

至りませんで、ということばが一番しっくりくると思う。

親しい人の死亡、それも自分のせいなのではないかという自責の念。

そんなとき、医者は孤独だと思う。

だから私はその場から逃げるように立ち去ろうとした。そそくさと、息を潜めて。不意に、呼び止められた。なぜかわからないが、からだがぴたっと、動かなくなった。うっ、という感じで。

誰かが先生ちょっと、と言ったのかもしれない。誰も何も言っていないのかもしれない。記憶はすっぽりと抜け落ちている。

娘さんが来た。いることに気づかなかった。お母さんが私を呼び止めたのかもしれない。娘さんは、今まで泣いていたのか真っ赤な目をして、寄ってきた。何か言いたそうにしていたので、目を合わせてじっと待った。

こんなときかけることばを、私は知らない。

ただ目を合わせて、真摯に、背伸びせず待つ。まるで神の前にひとり待つように。

「こんなこと私が言うのもお門違いかもしれませんが、母は先生のことをすべて信頼していました。すべて信じるって言っていました」

どう答えたらいいかわからず、微笑んでうなずいた。

「だから、これから先生が母みたいな人に会ったら、どうか私の母にしてくれたみたいに、からだをさすったり優しくしてください。お願いします」

娘さんは、泣いていた。私に隠そうともせず、ぬぐおうともせずぽろぽろと涙を流していた。世界で一番、優しい涙を。

私はあやうくこみあげるものを必死で堪えながら、微笑んだような困ったような顔をしていたと思う。

なんとか「わかりました」のひとことを絞りだして、私はその場を去った。

第三章　医者のこと、病院のこと

少し、医者の業界のお話をさせてください。

営業部がないのに、営業マンはひとりもいないのに、患者さんが行列を作る変な業界です。出世レースは今でもしっかり学歴優先、年功序列です。仕事を頑張っても頑張らなくても、給料は同じです。


そして仕事の内容も、少し不思議です。

医者は神様ではありませんが、神様の代理のような決定を迫られることがしょっちゅうあります。医者は聖職者ではありませんが、聖職者のごとく人を癒す必要があります。

いのちについて語るとき、やはり病院のこと、医者のことは避けて通れません。

どんな人がどうやって医者になる?

では、医者はどんなふうにしてつくられるのでしょうか。

「お金持ちしか医者になれないんでしょ」
「めちゃくちゃ頭が良くないとなれないんだ」
「みんな親は医者なんでしょ」
そんなふうにイメージを持っていらっしゃると思いますが、決してそんなことはありません。

医学部の学費は、国立大学であれば他の学部と完全に同額です。医学部は卒業まで六年間ありますが、六年間で三五〇万円くらいです。お金がなく成績が優秀な数人には、学費免除の制度もあります。

私立の大学は、卒業までに三〇〇〇万～五〇〇〇万円です。寄付金などをあわせると、億かかる大学も……。ですから、私立はものすごいお金持ちの子女が多いですね。このイメージが強いので、「医者になるには金がかかる」と言われるのですが、事実はそうではありません。医学部は全国に約八〇あり、国立と私立が半分ずつくらいです。ですから半分の医者は、それほどお金持ちではない家庭の出身と言ってもよさそうです。

ですが学費が安い分、国立大学の医学部は難関です。センター試験で受験しうる最多の科目数を受験し、かつ全体で九割くらいの得点が必要です。医学部志望者は理系ですから、数学と物理・化学は余裕で何度受けても満点、英語もほぼ満点で、社会で九割、国語では現代文で失点してもいいように古文・漢文は満点、といった作戦でしょうか。

「親が医者で子どもも医者」は、私の通った鹿児島大学では三割くらいでした。私立では八、九割は医者の子女だそうです。

さて次に、大学の医学部のカリキュラムをご紹介しましょう。大学によって少しずつ違いますが、私の出た大学の例を挙げます。

医学部は卒業までに六年間あります。はじめの一、二年生は教養課程です。鹿児島大学は総合大学だったので、他の学部の学生と一緒に「統計学」や「近代ドイツ文学短編」、第二外国語の「ドイツ語」などを受けていました。二年生の後半からは専門課程です。そこからは医学部だけのキャンパスに通い、医学部生だけで医学の授業を受けます。

医学は、「基礎医学」と「臨床医学」の二つに大きく分かれます。

「基礎」医学とは、文字通り医学のなかで「基礎」となる部分です。

病気についてはまだあまり学ばず、「筋肉と骨の種類（解剖学）」、「人間はどうして生きていられるか（生化学）」など、人間という生き物自体について学びます。

「臨床」医学とは、文字を見ると「床《ゆか》」に「臨《のぞ》」む学問です。「床」とはベッド、つまり患者さんのことを指します。ベッドサイドで、実際に患者さんの状態を見ながら学ぶ。これが「臨床」医学です。


大学二、三年生では「基礎医学」で、人間のからだの成り立ちについて勉強します。解剖学、生理学、生化学などが含まれます。ミクロでは遺伝子、細胞レベルまで学び、マクロでは全身の骨や筋肉、臓器の構造や血管の走り方を学びます。

特筆すべきは、本物の人間のご遺体の解剖をすることでしょうか。

この実習、「解剖実習」と言いますが、もちろん始まるときにはみなドキドキです。初めてのからだ、初めてのメス……。

初めてメスを入れる前、必死で黙禱を捧げたのを記憶しています。

「解剖実習」が終わると、献体していただいたご遺体で勉強をさせてもらったわけですから、「ああ、なんだかもう医者になるんだなあ」と、後戻りができない哀しさのようなものを感じつつ、医師としての自覚が芽生えてきたような気になります。

「解剖実習」の最中は、ただただ献体していただいた篤志家の方々の遺志に少しでも報いたい一心で、毎日ほぼ徹夜状態で勉強したのを覚えています。

たとえばこんな勉強です。「解剖学」では、ある筋肉について、その構造、支配する神経の、日本語、英語、ラテン語を暗記しました。

「胸鎖乳突筋は、胸骨柄から起始し、側頭骨の乳様突起に付着し、C2、C3が支配する。英語は sternocleidomastoid muscle、ラテン語は musculus sternocleidomastoideus」なんて具合です。激しい丸暗記科目です。

医者になり、実習から十五年ほどたった今でも、解剖させていただいたおからだの血管の走行や心臓の構造などは、よく覚えています。私の大学では、この「解剖学」の教授が厳しくて、一〇〇人の同級生のなかで五、六人は留年していました。

大学四年生からは「臨床医学」、つまり「内科学」や「外科学」、「皮膚科学」や「整形外科学」など、病院の「◎◎科」に「学」をつけた勉強をします。ここで具体的に病気の種類や症状、治療の方法や薬などを学びます。

そして大学五年生になると、いよいよ実際に白衣を着て聴診器を携え、キャンパスの隣の大学病院に実習に行きます。このあたりから気分はお医者さんです。「◎◎科」と名のつく二〇以上ものすべての科を、二週間ずつ回ります。そこでは自分で患者さんを受け持って、実際に診察しカルテに記載します。

たまに大学病院の外に出て、老人保健施設やリハビリ施設の見学に行ったりもします。外科では、滅菌の手袋にガウンという外科医の格好をして、手術に参加します。まあ、参加すると言っても、立って見ているだけなのですが。

そして医学部の最終学年。大学六年生では、自分の興味のある科を三カ所選び、一カ月ずつ回ります。アメリカのマイアミ大学という大学病院に一カ月留学した友人もいました。私は島の医療に興味があったので、「国際島嶼《とうしょ》医療学講座」という難しい名前の講座の教授にお願いして、屋久島の診療所に実習に行かせていただきました。

そんなふうにしてあちこちで実習をし現場を見ながら、現在行われている医療のすべてを学んでいきます。

では、まだ医者ではない医学生たちは、どうやって専門を選ぶのでしょうか。実は、「何科のお医者さんになるか」というのはひとりひとりのまったくの自由なんです。少し意外かもしれませんが。

ですから、医学部の五年生や六年生くらいになると、自分の興味や人生観、自分の適性、どんな生活をしどんな一生を過ごしたいかを、かなり自問自答します。

学問的興味だけではなく、そこで働く医師の生活や実際の年収などを目の当たりにして、なんとなくイメージしていくのです。「外科に興味があったけど、あんなに長い時間立っていられないし、あんなにお酒も飲めない（外科医は大酒飲みが多いのです）」だとか、「子どもが好きで小児科医になろうと思っていたけど、子どもが亡くなっていくのを見るのは耐えられない」といった具合に。

楽をしてお金がほしい、とはっきりしている人も少数ながらいます。そういう人は、まあしかるべき科に行くわけですが……。

そうして少しずつ少しずつ、さなぎが蝶になるように、医師になっていくのです。

「いのちを延ばす」をめぐる葛藤

医学部にいた六年の間、私はずっとひとつの疑問を考え続けていました。

それは、
「医学という学問の、目的はなんだろう。ゴールはなんだろう」
という疑問です。

臨床医学を学びはじめると、病気を「いかに治療するか」という勉強をします。病気を治療するということは、人を長生きさせるということです。ほうっておいたら消えてしまういのちの灯火を、医療の介入により燃え続けさせるということです。

「いかに治療するか」については膨大な量の勉強をしますが、「なぜ治療するか」については誰も教えてくれませんでした。これには、私は本当に驚きました。

もちろん目の前に痛がっている人がいたら痛くないようにしたいし、息苦しい人がいたら楽に呼吸できるようにしたい。でも私にとってその思いは、「病気を見つけたら治療したいし、人を長生きさせたい」ということと、直接すぐに結びつくものではなかったのです。

このような疑問を抱いてしまったことは、私にとって大変な危機でした。

「医学とは、病気を、人を治すことが目的である」

医学部の教授たちも出会った医師たちも、これが当然であるかのように考えていたし、そう教えます。

そして「病気を治す、病人を治す」ということは「人を長生きさせること」とイコールです。

つまり、医学部では「医学は人を長生きさせる」ことを大前提として教育をするのです。

「いのちを延ばす」ことが、医学の最善の、至上目標だったのです。一カ月でも、一日でも、一時間でも、一分でも。

そう、少なくとも私が医学教育を受けた十年ほど前までは。

はたして本当に、そうなのでしょうか。

医学が、科学が進歩したら、人間は百年でも百五十年でも生きる方がよいのでしょうか。

以前こんな面白いアンケート結果を見ました。

「死ぬより辛い状態は存在するかどうか」という質問に、一般の方は三割くらいしか「存在する」と答えなかったのに対し、医師はほぼ一〇〇パーセントが「存在する」と答えたのです。

めちゃくちゃ痛かったり、息苦しくて暴れ回ったり、不安と哀しみで地獄を味わったり。医師は患者さんのそういった辛い状態を実際に見ているので、こういうアンケート結果になったのでしょう。

「いのちを延ばす」ことを至上目標にしている医師たちは、患者さんにも「一時間でも一分でも長く生きるのがいいことなのだ」と言って、治療にあたります。でも自分たちは「いのちを終えた方がまだマシ」という状態があることに同意している。なんとも皮肉なアンケート結果ですね。

きっと、医師ひとりひとりのなかには、ある「葛藤」があるのだと思います。

それは口に出すことすらはばかられる「葛藤」です。なぜなら私たち医師は、一歩間違えると殺人罪に問われてしまう立場だからです。

たとえば、呼吸が止まりそうな人に対して、人工呼吸器を装着せずにその人が死亡したら、これは「消極的安楽死」と言って、法的には殺人ではありません。でも、人工呼吸器を一度装着してしまったら、その人工呼吸器の電源を止めると、罪に問われるのです。実際、それで逮捕された医師もいます。

では、点滴をしないと死んでしまう人に、点滴をしなかったら殺人でしょうか。

輸血をしないと死んでしまう人に、輸血をしなかったら殺人でしょうか。

その人があと一週間ももたない人で、輸血をしても一日くらいしか延長できない病状でも、輸血はした方がいいのでしょうか。輸血は人々の善意である献血からなる、貴重な限りのある医療資源です。輸血することで一週間長く生きられるなら、無駄に使ったことにはならないのでしょうか。

たとえば輸血用の血液が最後の一本だったとき、その人が偉い人だったら使い、偉くない人だったら使わないのでしょうか。

医学の至上目標は「いのちを延ばす」ことだと言いながら、医師はしばしば、神様が下すような判断を迫られることがあるのです。

少し話が変わりますが、「自死」(自殺)について考えてみたいと思います。

医学は「自死」という現象をどう見ているのでしょうか。

これについてお話しすることは、もしかしたら「自死遺族」のみなさんを傷つけてしまうかもしれません。それを私は懸念します。

「自死遺族」とは、大切な人を自殺で亡くした人のことを言います。今日本では一年に約三万人の自殺者がいますから、親兄弟、子ども、親友、恋人などのご遺族はその十倍はいるでしょう。三〇万人くらいの人は、大切な人を自殺で失い、深く深く傷ついているのです。

でも、それに鑑《かんが》みても、死について考えるとき、やはり「自死」の話は避けて通れません。

学問的には、精神医学と社会医学という分野が自死を扱っています。

私は専門外ですから正確ではないかもしれませんが、医学は基本的に「自死＝病気」としています。

一度精神科のお医者さんの講演を聞いたときに、質問したことがあります。

「自死はいつも病的なものなのですか。死にたいと思う気持ちは、病気なのですか。『正常な』自死なんてものは存在しないのですか」と。

答えは、「きわめて難しいが、精神医学では自死を病気として扱う」とのことでした。

医学の目的が「いのちを延ばす」ことであれば、自死はひとつの病気として治療の対象になるでしょう。

でも、本当でしょうか？
死ぬより辛い状態があるということを、いのちを終えるよりほかに解決策がないような苦痛がこの世に存在していることを、医師たちは知っているのに。
医学の語彙《ごい》は、自死というもの全体を語るには十分ではない気もしています。

そしてさんざん悩んだあげく、今私はこう考えます。

医学の目的とは、「いのちを延ばす」ことではなく、「人を幸せにする」ことであると。

わかりやすくするために、こんな絵を描いてみました。

左の人では、ニコニコした時間があって、そこからぐっとカーブが下がって、最後に一瞬辛そうな顔をしてエンディングを迎えます。
右の人も、最初のニコニコした時間から楽しくなさそうな時間にカーブが下がっていきます。
でも右の人の時間は、左の人よりも長いですね。

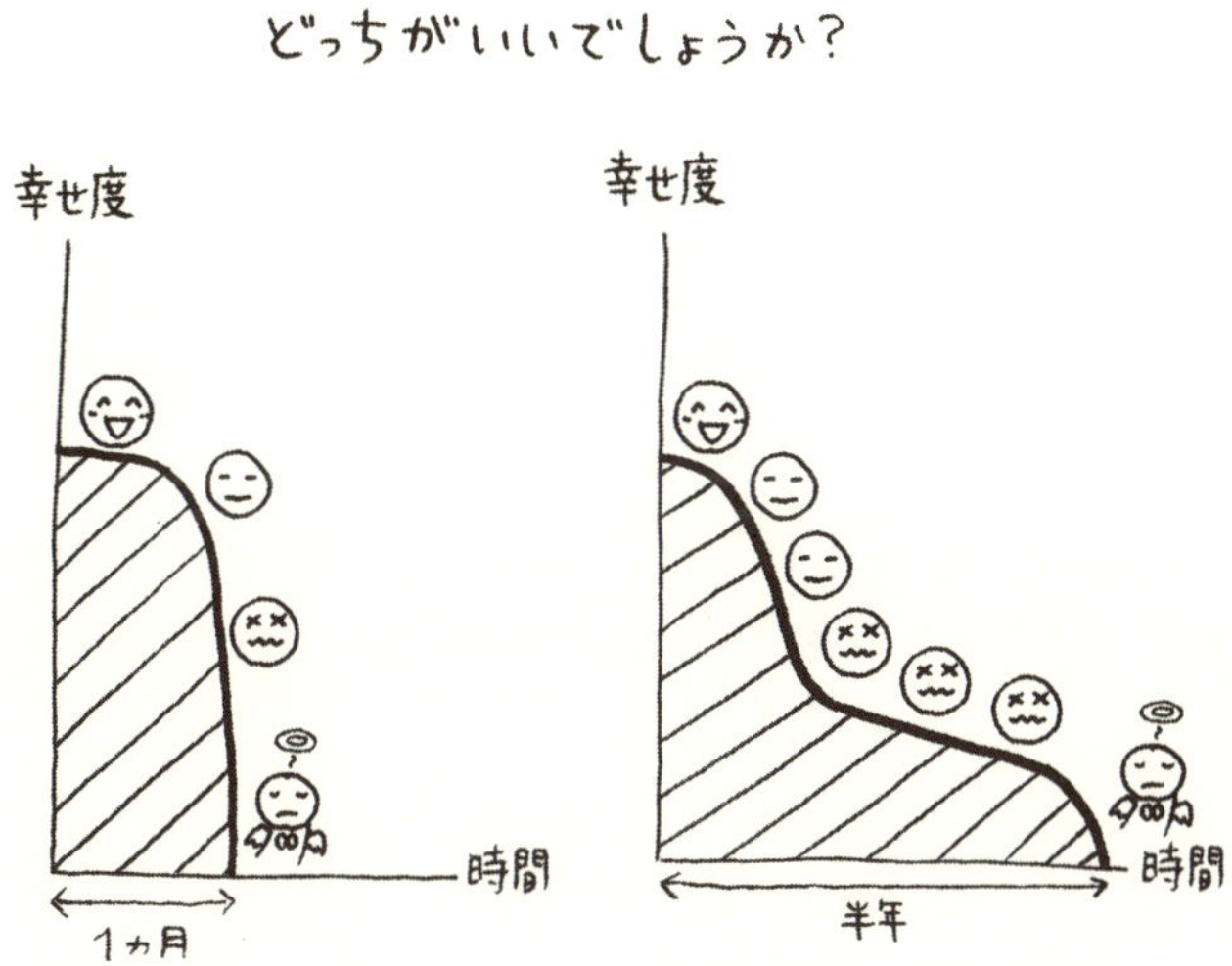

その代わり、楽しくなさそうな顔、泣きそうな顔になってからが少し長いですね。そして天に召されます。

あなたは、右の人と左の人、どっちがいいでしょうか？

これは案外、人によって違います。「ちょっとくらいしんどくたっていいから、なるべく長い方がいい」という方もいらっしゃいます。「泣きそうな顔が続くなんてまっぴら」と思う方もいるでしょう。

自分は左でニコニコロリがいいけど、自分の親には右でとにかくなるべく長く頑張ってほしい、という人が多いですね。

もちろん、どちらでもいいんです。あなたの好みです。途中で変わったっていいんです。大げさに言えば、これが価値観であり、死生観なのかもしれません。

幸せのかたちは人それぞれです。

ですから、医者の仕事はこんなふうであるべきです。長生きした方が幸せだと思う人には長生きの手助けをする。辛い治療が待っていてもしんどい副作用があっても長生きしたいという人には、立ち向かう手助けをする。

苦しかったり痛い治療は嫌だよという人には、「無治療という選択肢もある」ことをお伝えする。

臓器を困っている人にあげたいよという人には、そうする。

痛みだけは本当に嫌、多少眠くなってもいいから痛み止めの麻薬をたくさん使ってほしいという人には、たくさん使う。

最期のときを家で迎えたい人には、家で迎えられるように整える。

「難しい病気のことを言われてもよくわかんないから、信頼できる先生に任せたいよ」という人には、「手術か、抗がん剤か、ほうっておくか」なんて無理に決めさせないで、医師がその人に一番いい方法を決めてあげる。

私が考える「人を幸せにする」ことを目的にする医療とは、こんな医療です。

理系的に言うと、幸せ度カーブの絵の、斜線が引かれた部分の面積を一番大きくするように努力するような医療です。


（参考―東京大学大学院　死生学・応用倫理センター　上廣死生学・応用倫理講座　清水哲郎「医療・介護従事者のための死生学」春季セミナー）

人を幸せにするということ

人を幸せにする。


そのために医者はいるし、医学はあると思うのです。

ひょっとしたら、「幸せにする」なんて、傲慢でおこがましいかもしれません。

でも、私は「幸せになるお手伝いをする」なんて他人行儀なことは言いたくありません。

そこには「患者さんを幸せにする」という覚悟と、責任を持っていたいのです。

最近の病院の風潮。

患者さんを「◎◎様」と呼んでみたり、うやうやしく頭を下げたり。ホテルみたいに病院をきれいにするのもよいですが、まず患者さんひとりひとりの幸せを考える、それこそがホスピタリティーだと思うのです。ホスピタル（＝病院）なのにホスピタリティーがないなんて、こんな哀しいことはありません。本質を見誤ってはいけません。

でも、「人を幸せにする」ことと、「いのちを延ばす」ことは、たまにケンカします。いのちが短くなってしまっても、ちょっと幸せが増えるのならその方がいいかもしれない。私はそんなふうに今、思っています。

長生きは不幸である、とは言いすぎかもしれません。でも、「長生き＝幸せ」であるとは必ずしも言えない時代が来ているのではないでしょうか。

どんなに医療が進歩しても、人間の各臓器のタイムリミットは、どうやら百年くらいのようです。これからは、臓器移植や人工臓器などを使って長生きする方向になるでしょう。心臓がだいぶ傷んだら、iPS細胞によって自分の臓器を作って、それを移植する時代が来るかもしれません。脳の傷みだけはどうしようもなさそうですが。

日本の医療で起きている残念な現実

私が勤めている病院のことを少しお話ししましょう。

「がん・感染症センター都立駒込病院」という、東京都が運営している病院です。明治十二年に開設された古くからある病院で、ベッド数は約八〇〇床と、日本ではかなり大きい病院です。現在、日本に病院は八六〇〇ほどありますが、五〇〇床以上のベッドを持つ病院は五・三パーセントしかありません。「◎◎大学病院」などの大学病院と同程度の規模の病院です。

「〇〇がんセンター」と呼ばれる病院は、各都道府県ごとと言っていいくらいたくさんあるのですが、私の病院には、ほかのがんセンターとは大きく違う特徴があります。それは、がん治療をメインに行う以外の科も、しっかりとそろっていることです。通常「〇〇がんセンター」というところでは、がん治療以外の科はしっかりしていないことが多いのです。

たとえば、「がんになってしまったが、もともと糖尿病があり腎臓も少し悪い」とか、「脳梗塞をやったことがあり、半身が動きにくい」人や、「高齢で全盲」の患者さんといった人は、そういった病院では断られることが多いのです。

私の病院では、各科の専門家がそろっているため、いろいろな合併症を持つ患者さんや、九十歳を越える超高齢の患者さんも受け入れています。「○○がんセンターに断られたからここに来た」という患者さんもしばしばいらっしゃいます。

そのような方々に、私たちは世界最高の医療を提供すべく日々頑張っています。

こういった事情から、私の病院に来る患者さんは、ほかの病院と比べると、治療が難しい、たちの悪いがんの患者さんがやや多いです。医療者側、病院側から言えば、治療という勝負どころで「分が悪い」患者さんです。

そんな当院でも、ベッドの数とマンパワーが限られているので、患者さんの治療をすぐに始められないことがあるのです。

いのちがかかっていても、順番待ちをしなければならないのです。

少し、想像してみてください。

あなたの大切な人ががんにかかってしまったとします。たとえば親が、妻が、夫が、息子が、娘が、です。あなたは情報を集め、最高の治療が受けられる病院を探します。できれば名医と言われる人に治療をしてほしいと思いますよね。そのために病院ランキング雑誌を何冊も買い、インターネットでも検索するでしょう。

そして調べた病院に電話します。すると、電話口では「◎◎先生の外来は混んでいるので、予約は一カ月待ちです」。痛いし体調が悪いのに一カ月も待つなんて……。しかもやっと外来を受診して、それから検査をして診断がついて、初めて治療のプランが立つのです。もし手術が必要であれば、さらに何カ月も手術を待たなければならないことだってあります。

「最高の治療」じゃなくても、すぐに受診できる病院にかかった方がいいのでは、と迷うのは当然のことです。

このように、あなたの大切な人が病気になっても、最高の治療を最速で受けられるとは限らないのです。

とても残念で、なんとかしたいのですが、これが現実です。

最近はとくに、たくさんの手術件数がある、一流と言われる医師がいる病院に、患者さんがかなり殺到しています。その結果、手術まで二カ月待ち、三カ月待ちと言われることもあります。

今は腕のいい外科医が手術をしても、研修医が手術をしても、同じ金額が患者さんから支払われます。病院に入るお金は同じです。だからこんな手術待ちの現象が生まれているのかもしれません。

外科医の腕によって医療費が違うという制度になれば、順番待ちは解消するかもしれませんが、名医の手術を受けられるのはお金持ちだけということになります。

実際今でも、お金のある人は、保険適用外の最新の治療をすぐに受けることができます。このような「医療格差」はすでに広がりはじめているのです。

外科医になるための実技試験はない

これまでお話ししてきたように、私は外科医です。

外科医という仕事は変わっていて、医師のなかでもかなり特殊な部類に入ります。

それは、外科医の主な仕事は「手術」であるという点です。「手術」ははっきり言って、頭脳よりも腕です。手先がある程度器用でないと上手にはできません。

手術が上手かどうかは、かかる時間や出血の量でわかります。

しかし、手先の器用な人ばかりが外科医になるとは限らないのです。

日本で医師になるためには、基本的には大学の医学部を卒業し、医師国家試験に合格しなければなりません。

でも、大学の試験にも国家試験にも、実技はほぼないのです。これは驚くべきことです。ピアニストになるには音楽大学の試験でピアノを弾き、画家になるには美大でデッサンの試験があるのに、外科医になるための実技試験はないのです。

大学の試験では最近になって、「血圧の測り方」や「蘇生行為（呼吸と心臓が止まった人に処置する心臓マッサージなどのこと）」、「患者さんとの会話の仕方」などの実技が取り入れられてきましたが、とても簡単なものです。どれも少し練習すれば、医学生でなくとも習得できます。

そして医師になってからも、実技でトレーニングを積むカリキュラムのようなものは、ほぼ存在しません。若い外科医は点滴をしたり、患者さんのからだに管を入れたりという治療行為を、実際に現場でやりながら学ぶのです。

もちろん現場でやってみるだけでは、技術は上達しません。私も研修医の頃は、日中は忙しくて練習できないため、真夜中に糸を結ぶ練習や、ティッシュペーパー同士を縫い合わせる練習などをよくやりました。私は右利きですが、左手を器用にするために、医師になって丸三年は、左手でお箸を持ってご飯を食べていました。最後にうなぎが左手で食べられるようになったので、卒業しましたが。

今上天皇の心臓バイパス手術を執刀した順天堂大学の天野篤教授は、今でも食事後の皿洗いやリンゴの皮むきなどを喜んでするそうです。そういった手を動かす作業は、どこかで手術の技術向上に繋がると考えているからだそうです。

外科医としての技術の習得にはとても時間がかかります。練習し、上手な上司の手術を見、ビデオを見て、修業する日々が何年も続くんですよ。

エッセイ

医者の見た夢

あるご夫婦のお話です。

七十歳少し手前のご夫婦は、その小さな個室で泣いていた。私は、黙っていた。

二週間前、多くの医師が集う合同カンファレンスで、その患者さんについてのプレゼンテーションがあった。九州なまりの内科医が困った顔でプレゼンをしていた。

「患者さんは○○さん、六十五歳男性。ちょっと問題のある方なのですが……」

その患者さんのお腹のなかには握りこぶし大の謎の腫瘍があって、それが小腸に噛み付いていて出血をさせているのだという。半年前から見つかっていたが、出血も痛みもないためとくに治療をせず様子を見ていた。

しかし徐々に腫瘍は大きくなり、次第に便に血が混じるようになった。そして出血が多くなり、今では三日に一回は輸血しなければ危険な状態となってしまった。

内科医は、CTを前のスクリーンに呈示しながら、続けた。

「ここに手拳大《しゅけんだい》の腫瘍を認めます。小腸のがんか、リンパ腫か、どんな腫瘍かはっきりしません。しかし小腸に浸潤《しんじゅん》しており、出血はこのためと思われます」

「原因はなんなんだよ」

「この患者さんは手術には耐えられない」

「術中死《じゅっちゅうし》するぞ」

「そもそもこれががんだったら、手術をしてもすぐ再発して助からないのでは」

侃々諤々《かんかんがくがく》の議論が交わされた。

この患者さんは、心臓がきわめて弱かった。おまけに昔、脳梗塞を何度もやっており、これだけ出血がひどくても、血を止まりにくくする薬「ワーファリン」をやめられない状況だった。

結局のところ、議論はある外科医の一言で収束した。

「切らなきゃ確実に失血死する。切ったら、もしかしたら助かるかもしれない。やろうよ」

その二週間後。

私は病棟の小部屋で、患者さんとその奥さんと三人で話していた。

「手術をしなければ、おそらく三カ月はもたないでしょう。腫瘍が大きくなるスピードが速く、あと一カ月程度でお腹がぱんぱんにふくれ、食事はいっさいできず毎日吐きます。鼻からチューブを入れ、おそらく二度と抜けません。そして出血が続き、毎日輸血が必要になります」

ご本人と奥さんの顔色がみるみる変わっていく。

「では手術をしたらどうなるか。おそらく腫瘍は取りきれると思います。ですが、それ以外に問題があります。麻酔科の医師は、手術が終わっても麻酔から醒めないかもしれない、と言っています。また手術中に脳梗塞が起きたらアウトです。仮に生きていても、しゃべれなくなったり、手足にひどい麻痺が起きたりするかもしれません」

私は続けた。

「手術が終わって、麻酔から無事醒めたとします。そうだとしても、手術後数日以内に、心筋梗塞や脳梗塞が起きる可能性はきわめて高いのです。そして一度起きたら、もう助かりません。つまり、手術をした場合……」

つばを飲み込もうとしたが、無駄だった。口のなかがからからに乾いていた。後頸部を汗がつつ、と垂れるのがわかった。

「手術をした場合、高い確率で死亡します。死亡しなくても、まともに家に歩いて帰れる可能性はきわめて低い」

さて、どうなさいますか。

鉛のような沈黙が、部屋全体を包んだ。
奥さんが、嗚咽《おえつ》をもらした。患者さんも、泣いていた。親子ほども年の離れた若い医者の言葉で、二人は静かに泣いた。
私は、黙って待った。どのくらい黙っていただろうか。
部屋にかかった時計の針の音が聞こえるようだった。私は、ぴくりとも動かなかった。

「先生」

患者さんが、口を開いた。

「どうすればいいか、私にはわかりません」

「はい」

「手術をして数日以内に死ぬのであれば、私は苦しみながらでもあと三カ月生きたい。まだいろいろと準備があるのです」

私は返事をしなかった。

「あなた、何を言っているの」

泣いていた奥さんが、不意に涙声を出した。

「先生、切ってください。切らなければチャンスはないんですよね？　お願いです、切ってください」

「でもお前……」

「あなた、お願いします。手術を、受けてください。お願いです」

奥さんは、まるで仏壇に祈るように手を合わせて、夫に懇願した。

また、みな黙った。廊下を看護師がぱたぱたと早足で歩いていく音が聞こえた。

「私に任せてください。必ず、治します。生きて帰ってもらいます」

そのひとことが、言えない。どうしても、言えない。

言ってしまって、手術後すぐに死んでしまったらどうするのか。

言わずに、患者さんが手術を諦めたら、血を流しながらそのまま死んでいくのか。

俺はなんのために医者になったのか。なぜ俺はここで今、白衣を纏《まと》い座っているのか。俺は、本当に医者なのか……。頭の奥の血管を流れる血液に乱流が起きる。びゅうびゅうと音を立てて、心臓は血を拍出している。穴のないドーナツのような形の無数の赤血球が、脳内を駆け巡っている気がした。臆病と蛮勇の間で、外科医はいつも叫んでいる。声を出さずに。


「○○さん」

二人は、驚いて顔をあげた。

「正直に言います。私は、○○さんを手術するのが怖い。手術したら、死んでしまうかもしれない。こんなリスクの高い手術をやる外科医は、日本中どこを探したってないかもしれません」

「でも、もしあなたが私の父親だったら」

患者さんと、目が合う。視線が交錯する。

「父だったら、手術をします」

精一杯の、言葉だった。

「そこまで、言ってくださるんだったら、私は先生にいのちを預けたい。私は、勝負してみたい」

手術が、決まった。「手術をしなければ三カ月以内に死亡します。手術をしても死亡する可能性がかなり高く、歩いて帰れる可能性はほとんどありません」と書かれた同意書に、サインをいただいた。

そして手術の日が来た。

「それでは、お願いします」

メス。

白い腹の皮膚。無影灯《むえいとう》が反射して、網膜に光が焼き付く。一瞬、目の前が見えなくなる。

年の割には薄い皮膚にメスを走らせると、その途端ばばっと無数に出血する。臍《へそ》を割って、お腹が開いた。

私は、努めて淡々と、冷静に執刀した。開腹して、腫瘍を腸ごと切除して取り出す。残った腸と腸を吻合《ふんごう》する。手術は一時間ちょっとで終わった。

その日から、戦いは始まった。

私は「この患者さんが、生きて歩いて家に帰ること」を目標にした。いや、夢にした。

手術翌日。患者さんは嘘のように、

「いやあ、先生ありがとうね！　キズが痛むよ、生きてるっていいね！」

なんておっしゃる。

「いえいえ、きょうからが本当の戦いですよ」と、笑顔で、本音を言った。

私が切った彼の腹の皮膚は皮下出血で紫色になりはじめていたが、とくに問題はない。私は胸を撫で下ろした。

日中は他の患者さんの手術があったため、夕方まで手術室から出られなかった。何かあったら病棟の看護師か研修医から手術室に連絡が入るため、私はなるべくその患者さんのことを忘れて目の前の手術に没頭した。

夕陽が病室に射し込んで、カーテンもシーツも看護師の薄汚れた白いシューズも橙色《だいだい》に染める。ほんの数分の、橙の世界はすべての人を無言にした。

疲れ切って、白衣に連れていかれるようにして病棟を歩く私は、もはや精根つきていた。目をつぶるとすぐに眠ってしまいそうだった。

ナースステーションには寄らず、まっすぐにその患者さんのところに行く。
きょうも、問題なく生きている。

熱が出たり出血したら私に報告が来るはずだ。何も聞いていないのだから、大丈夫に決まっている。しかし、私はこの目で見るまでは信じられなかった。

「中山、病院では〝trust no one〟だ。誰も信じるな。自分の目だけを信じろ」

研修医の頃教えてくれた、ちゃらちゃらしたサーファーの救急医を思い出した。

手術の三日後。私は彼の食事を開始した。

それからみるみる彼は回復し、二週間くらいで内科に移った。

そしてついに退院する日。

私は手術前の慌ただしい朝、病室を訪問した。

「○○さん！　きょう退院するんですって！」

「あ、先生」

部屋には奥さんしかいなかった。奥さんは、みるみる泣きはじめた。

「先生、手術してくれて本当にありがとうございました。いのちの恩人です」

「本当に、本当によかった」

あやうく涙がこぼれそうになった。

そこに患者さんも入ってきた。

「ああ、先生！　いやあ、きょう退院しますよ！　なんだか元気になっちゃったよ！　ありがとね、またよろしくね!!」

「いや○○さん、こんな怖い手術は二度としませんよ」

私は泣きながら、笑った。彼もまた、泣きながら笑っていた。

夢は、叶ったのだ。


私は手術室へと向かう階段を一段飛ばしで下りながら、白衣の袖で、涙を拭った。

第四章

実際の臨終の現場から

こころとからだへダブルパンチ

実際にがんが進行していくと、どんなことが起きるのでしょうか。
まず、こころとからだに同時に強い苦痛が生じます。
注目していただきたいのは、「同時に」という点なのです。

ある患者さんのお話です。

六十代の女性で、お尻の穴のあたりの痛みに気づいて近所のお医者さんを受診しました。その医院の男の先生は、女性のお尻の痛みということで遠慮をしたのでしょうか、簡単な問診のみでお尻の診察をすることなく、痛み止めの処方だけをしました。患者さんも恥ずかしかったため、とくに疑問なく処方箋だけをもらって帰りました。

薬を飲むと痛みは一旦は落ち着きましたが、すぐに我慢できなくなり、今度は別のクリニックを受診しました。

別のクリニックでも、簡単な問診が行われ、別の種類の痛み止めが処方されました。男性の医師だったからか、やはりお尻の診察はありませんでした。

その後はしばらく落ち着きましたが、再び痛みが増してきました。

ある日、朝ご飯を食べたあと、むかむかと気分が悪くなって大量に吐いてしまいました。気づくとお腹がぱんぱんに張っていました。あわてた家族は救急車を呼び、私のいる病院へ来院されました。


いろいろ診察を行うと、お尻の穴から飛び出すような大きい腫瘍がありました。レントゲンや採血で、腸閉塞になっていることがわかりました。お尻の腫瘍はぱっと見たところがんのようだったので、すぐにCT検査を行いました。

CT検査では、からだのなかの状況がかなり詳しくわかります。一センチ程度の大きさがあれば、異常なものはだいたいわかるのです。この患者さんにはかなり巨大な進行した直腸がんがあり、肝臓への転移を疑う影が五つありました。さらには腹膜播種と言って、お腹のなかにがんが散らばっていそうな所見もありました。

私が考えたプランは、
①お尻からチューブを入れて、ぱんぱんに張った腸の中身を吸い出す

②緊急手術で人工肛門を作る
でした。

いきなり手術をするほど患者さんもお元気ではなかったので、内科の医師にお願いして、お尻からチューブを入れてもらったのです。


腸の圧を下げるような治療をしながら、精密検査をさらに加えました。最終的な診断は、直腸がんがまわりの臓器に浸潤し、さらに腹膜播種と肝臓に転移を認め、ステージⅣでした。

そして長期間にわたりあまり食事が摂れなかったためでしょう、栄養状態もかなり不良でした。また、痛みで毎日不眠が続いており、気分も抑うつ的になっていました。少しお話を聞くとすぐに涙を流される、そんな状況でした。

しかも二軒の医院にかかったのに発見されずに痛み止めだけで放置されたという、医療全体への不信感が強くありました。おまけに夫との仲も険悪である、とのことでした。


我々は頭を抱えました。

この患者さんが、あまりに多くの問題を抱えすぎていたからです。

いっぺんにすべてを解決するのは困難です。しかし、すべての問題がご本人にとって困った状況であり、大急ぎでなんとかせねばならないものだらけでした。

そこで、いろいろな作戦を同時に始めることにしました。

まず、がんに対して。

これはいきなり手術をやっても取りきれる代物ではなかったので、まずは元気になったら人工肛門を作る手術だけを行い、その後に抗がん剤治療で直腸と肝臓の腫瘍を小さくする作戦にしました。抗がん剤がよく効いてそれらの腫瘍が小さくなれば、手術で取りきれる可能性もわずかにありました。抗がん剤が効かなければ、アウトです。

そして、次に栄養不良について。

お尻から腸の減圧をするためのチューブが入ったので、数日すれば食事が始められます。食べていただいたのは「低残渣食《ていざんさしょく》」といって、固形の便ができにくい食事です。味はあまり美味しくはありません。

食事を始める前に、急いで栄養状態を改善させる必要がありましたので、首から太い点滴の管を入れる（中心静脈カテーテル留置と言います）処置をし、点滴だけで一日二〇〇〇キロカロリーほどを入れました。理論的には、食事なしでこの点滴だけでも栄養状態はかなり良くなるのです。

そして、痛みについて。

痛みはおそらく直腸がんがまわりに浸潤した痛みと、腹膜播種による痛み、腸閉塞による腸がぱんぱんに張った痛みの三種類がありました。すでに二つの医院から痛み止めはたくさん出ていましたが、ほとんど効果がない状況でした。

そこで、私は医療用の「麻薬」を選択しました。

あとでも詳しく書きますが、がんによる痛み（「がん疼痛《とうつう》」と言います）に対して、医療用麻薬は非常によく効きます。ですから、がんの患者さんはおそらく半分以上の人が、なんらかのかたちで医療用麻薬を使っています。昔はモルヒネだけでしたが、最近はほかにもいい薬がたくさん出ています。薬が飲めない人のために、注射や貼り薬もあります。

痛みがある状態では人間は食事も摂れず、歩くこともできず、まともな思考がほとんどできなくなります。

想像してみてください。

あなたも、怪我をしたり、お腹をこわして痛くて仕方がなかったことがありますよね。ひどい生理痛で苦しんだ女性もいらっしゃるかもしれません。

そんな痛いときに、「人生について」とか「世界の貧富の差について」とか「美とは何か」とか、考えられませんよね。人に優しくもできません。痛みには哲学も美学も深みも、学ぶことも何もありません。ただただ痛いだけです。

痛い間、あなたの人生は停止し、あらゆる活動ができなくなってしまいます。活動が止まるどころか、食事が摂れなくなり、夜も眠れなくなってしまうのです。さらにひどい痛みは、ときとして生命の維持すら困難にします。私はこれを非常に重く見ています。

なのに、悲しいことに、あなたの痛みの強さを計る機械や検査はなんと、存在しないのです！

これは本当に、驚くべきことですね。

ただひとつ、Visual Analog Scaleという、患者さん自身に痛みを点数や顔のマークで表現してもらうやり方があります。

まったく痛くないときを〇点、めちゃくちゃ痛いときを一〇点として、今は何点くらいなのかを聞くのです。

それともうひとつ、フェイススケールというものがあります。

これは絵に描かれた顔の表情を患者さんに見てもらって、今どれくらいなのかを選んでもらうやり方です。

この患者さんの場合は、痛みははじめ「めちゃくちゃ痛い、最高に痛い」一〇点でしたが、医療用麻薬を使ってなんとか四点くらいまで抑えることができました。

そして、かなりの不眠も痛みが楽になったことで改善しましたが、熟眠感がないとのことだったので、短時間で作用が切れる弱い睡眠剤を使ってもらいました。

この患者さんの、途中の状況はこんな感じだったでしょうか。

ここまでに一週間かかりました。

図表3　痛みの評価法

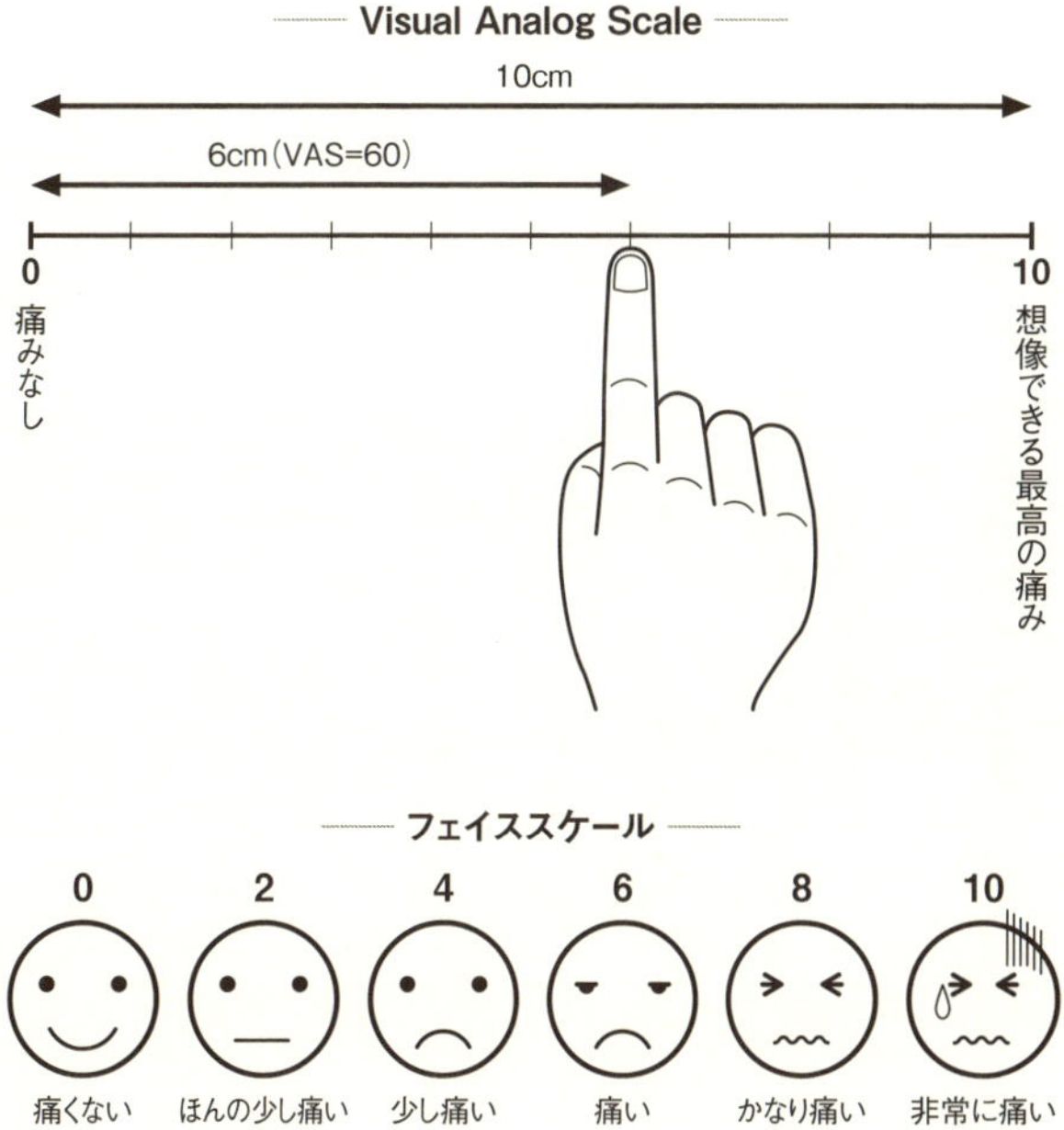

出典：『ペインクリニックと東洋医学』（森本昌宏、真興交易㈱医書出版部）をもとに作成

整理します。ここまでで私がやったことは、

①がんに対する正確な診断をおこない、治療戦略を立てた

②点滴を入れて、栄養をつけていただいた

③チューブを入れたり麻薬の鎮痛剤を使っていただいたりして、今の痛みを少し減らした

④不眠症については、睡眠剤を使って少しばかりよく眠っていただくようにした

の四点です。

お気づきかもしれませんが、痛みなどの身体的な問題にはアプローチしましたが、精神的な問題には何ひとつアプローチできていません。

我々には、患者さんの精神的な問題に対する手立てがないのです。

もちろん気分がひどく落ち込んで、「死にたい」とおっしゃるような方や、抑うつ状態と言って落ち込みから食事も摂れずからだも動かしにくくなってしまうような方の場合は、精神科の先生に連絡し、診察をしてもらいます。

しかし、がんでショックを受けている患者さんを精神科医が診察しても、なかなか良くすることは難しいのです。

現状では、病棟の看護師さんがお話を聞いたり、ときには励ましたり慰めたりして支えています。とはいえ、看護師さんは、点滴を作ったり、採血をしたり検査に連れていったり、食事を配ったりいろいろな説明をしたりととても忙しいなか、時間をやりくりしてのことなので、はっきり言って時間的に十分ではありません。

このように、がんの患者さんには、「がんになってしまった、そして自分はもうすぐ死んでしまうかもしれない」という「こころの痛み」と、「何もしていなくてもお腹が痛い」というような「からだの痛み」が「同時」に訪れるのです。

ここは非常に重要なポイントです。

そして、医師は身体の苦痛をとってはくれるけれど、精神の苦しみは自分でなんとかするしかないという現実があるのです。

がんになった患者さんの気持ちを聞いたアンケートがあります（NPO法人 がん患者団体支援機構都立駒込病院ニュースレターより）。

「どうして私ががんになったんだろう？　頭が真っ白。涙がたくさん出た」

「がんかもしれないと言われてから、ちゃんとした診断がつくまでの一カ月が辛かった」

「家族や医師の前では明るくしているが、夜は泣いている」

「病気になっていない人に言ってもわかってもらえない」

「配偶者にも、本当の気持ちは話せない」

こうして見ると、がんになったときのショック、精神的なダメージはかなりのもので、しかも家族や友人など、そして医師にも本当の辛い気持ちは話せないのです。

自分が、自分という存在が、地上から永遠に消滅するという恐怖。

それは、言うまでもなく、生きているうえで最も大きい恐怖。

それに対して、たったひとりあなただけで立ち向かわなければならないのです。

こんなに過酷な、残酷なことがほかにあるのでしょうか。

このような現実に対して、最近では、がん患者さんとその家族で集まって話し合うサロンや講習会、家族会のようなものも増えてきました。一筋の光明が見えてきたのかもしれません。

話を戻しますが、冒頭の患者さんは結局、お尻からチューブを入れたまま食事を摂っていただき、元気になったところで人工肛門を作る手術をしました。その後は医療用麻薬で痛みが落ち着き、そのおかげか表情もいくらか穏やかになっていかれました。退院できるくらいにお元気になったため、外来で抗がん剤治療を行いました。幸い腫瘍が縮小したため、初めて来院されてから半年後に手術で直腸がんを取りきることができました。

食べられない、眠れない

ふだん、何気なくやっている、「食べる」という行為。

これが失われた患者さんの苦痛は、想像を絶します。

「なんでもいいからとにかく、食べられるようにしてくれ」

患者さんにしょっちゅう言われる言葉です。


「食べられない」という経験をしたことがあるでしょうか。

海外旅行中に食あたりしたり、生牡蠣《がき》にあたったりしてひどい腸炎になり、数日ロクに食べられなかったことを思い出してください。

たった数日のことでも、かなりふらふらになりますよね。


我々医者には、「点滴」という武器があります。これを使えば、一口も食べなくても、計算上では必要カロリーを摂っていただくことができるのです。

でも、どんなに点滴でカロリーを入れても、口から食べて胃腸で消化吸収しなければ人間はだめなのです。免疫機能が弱まり、覇気もなくなり、弱っていってしまうのです。

がんの末期状態になると、多くの人が口から食事が摂れなくなります。胃や腸のがんだけでなく、肝臓がんや膵臓がん、肺がんなどでも、いろいろな理由で食べられなくなります。

では、なぜ「食べられない」のでしょうか。

これには二つの「食べられない」があります。

ひとつは、実際に食べるどころではないほどからだがしんどい状態、意識が悪かったり、熱が毎日三九度出て食欲がなかったり、痛くてそれどころではなかったり、息苦しかったりする場合です。

そしてもうひとつは、食欲があるのに医学的な理由で食事を禁じられる場合です。

具体例を挙げましょう。食道がんや胃がんで、食べ物の通り道が狭くなったりふさがってしまったりして、食べるとそのまますぐに吐いてしまうようなことがあります。

食べ物の通り道は、口から入ったあとは、肛門から便として出るまで一本道の、しかも一方通行です。そのどこかで通行止めがあると、たちまち渋滞して口からげえっと吐いてしまうわ

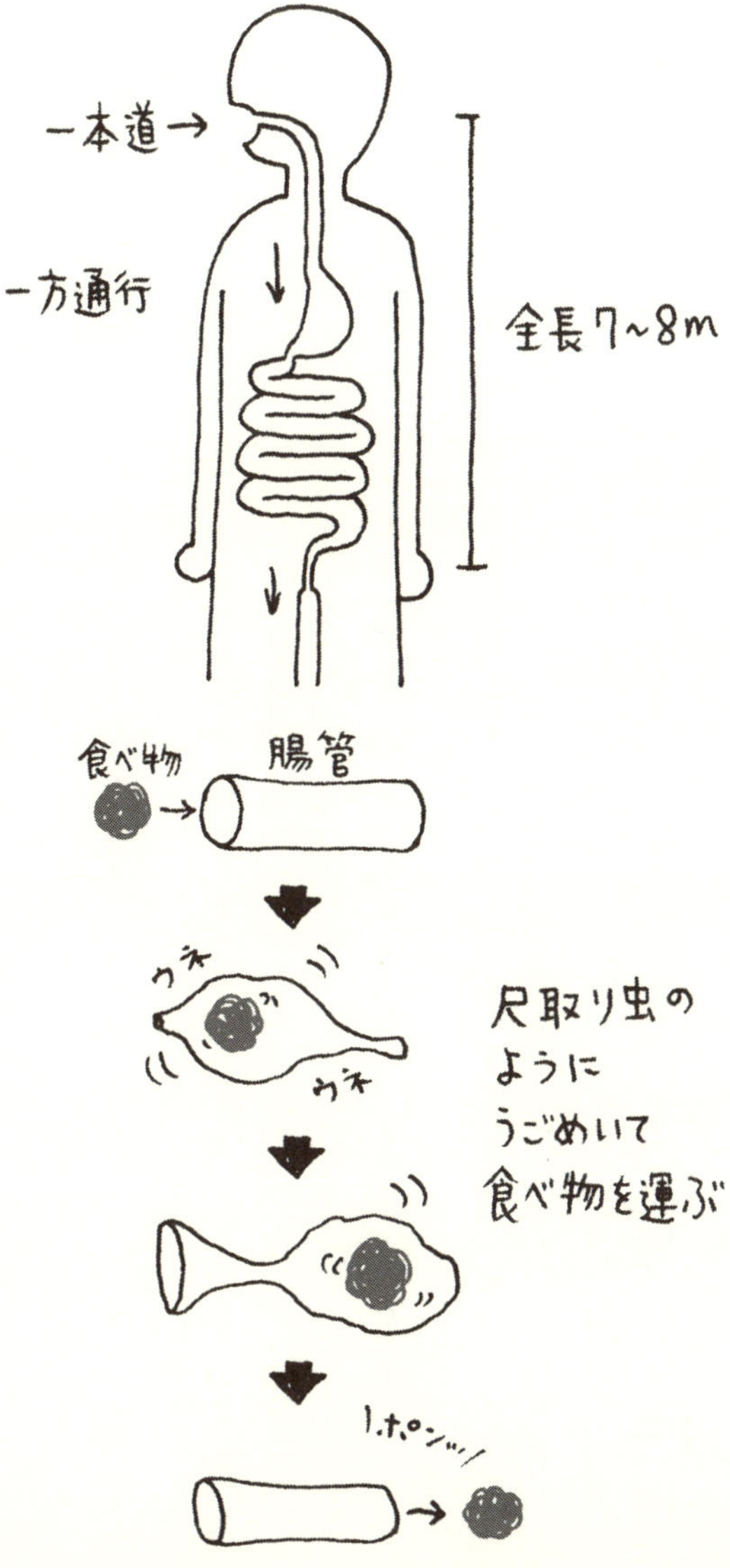
一本道
一方通行
全長7~8m
食べ物
腸管
ウネ
ウネ
尺取り虫のようにうごめいて食べ物を運ぶ
ポンッ

けです。

しかも、一本道の一方通行の、ただの道路ではありません。胃や腸はいわば「動く歩道」です。口から入った食べ物は、道路を走る車のように自分で走ってゴールを目指してはくれませんから、動く歩道である胃腸が頑張って、スタートからゴールまでベルトコンベヤーのように運んでいるのです。

食べ物の通り道は専門的には「消化管」と言います。「消化するための管」です。そして動く歩道のように食べ物を送っていくことを、「蠕動運動《ぜんどううんどう》」と言います。「蠕動」の「蠕」とは、「うごめく」という意味で、腸は「うごめくように動く運動」をしています。

私も医学生で初めて手術を見たとき、胃と腸の蠕動の動きに驚きました。うねうねと、たしかに虫がうごめいているようにひとりでに、しかも絶えず動いているのです。そうやって管の中身を口から肛門まで、約七、八メートルも運んでいるのです。

つまり、胃や腸はたとえ通行止めがどこにもなくても、蠕動の機能が停止すると、食事が摂れなくなってしまうのです。

がんがお腹のなかで散らばる「腹膜播種」という状態になると、この蠕動が失われます。そして食べられなくなるのです。

ほかにも、痛み止めの麻薬やいろいろな薬で、蠕動は悪くなることがあります。

さらに、痛みがあって一日中寝ていたりすると、蠕動が弱くなって食欲が落ちてしまう、ということもあります。

このようにして、実に様々なメカニズムがすべてうまく働いて初めて、人間は食事を食べられてお通じが出るのです。

我々外科医は、たとえばあと三カ月くらいで亡くなってしまうだろうという患者さんに対してでも、最後まで口から食事が食べられるだけのために、お腹をばっさり切って開ける手術に踏み切ることもあります。それほど、「食べられる」というのは重要なことなのです。

不眠についてもお話ししなければなりません。

入院をしたことがある方は、「病院で寝る」ことの困難さをご存じかもしれません。
病院というところはとても特殊な場所です。ほとんどの病院には個室と大部屋（二人〜六人がシェアする部屋）があります。

個室に入るには、治療費とは別に一日一万五〇〇〇円から四万円ほどの追加の料金がかかります。よく病院ランキング本で一位をとる、有名な聖路加国際病院は、そのホスピタリティーの高さには驚かされますが、全室個室なので、基本的に一日三万円以上の個室料金が払える人しか入院できません。

それから、お金さえ払えば個室に入れるわけではないというところもポイントです。病院は重症の患者さんを個室に入れて集中的に治療しますから、重症の患者さんが多いときには個室が埋まってしまいます。この場合の追加の個室料金はタダです。

病院経営ということを考えれば、重症の患者さんを追いだしてでも、個室料金を払ってくれる患者さんに入ってもらいたいところですが、そんな非人道的なことをする病院は日本にはあまりないと思います。

もちろん、都内の大学病院や大きな病院のように、政治家や有名人用の「特別個室」という部屋がある病院もあります。

でも多くの人の場合、自分が入りたいからといって個室に入れるわけではない、ということです。

しかも、病院というところは病気の人、具合の悪い人が集まっています。

そういった人々と、同じ部屋で何日も共同で生活をしなければならないのです。

日本では、病院にひとりあたり最低でどのくらいの広さのスペースが必要かが法律で決まっています。それでも、パーテーション（ベッドとベッドの間の仕切り）はカーテンだけで、シャワーもトイレも洗面台も共用です。

夜には容赦なく看護師さんが巡回に来て、様子を見ていきます。敏感な人は、それで起きてしまうことも多いです。


想像してください。


病院の四人部屋で、ひとり。

がんの治療が始まる。

これから自分はどうなってしまうんだろう。

向かいのベッドの人は、なんだかすごく痛そうにしている。動くのもやっと、という感じだ。

隣の人のところには、誰も面会に来ない。斜め前の人は、ずっと咳ばかりしている。夜じゅう咳をしているので、正直気になってあまり眠れない。

病院の夜は長い。

夕ご飯も足りず、味気ない。テレビも飽きた。

やることがないので、横になってばかりいる。

天井の模様もしみの数ももう覚えてしまった。

不安。

焦燥。

そして、たくさんの病気の人とする共同生活のストレス。

こんな理由で、多くの人が病院に入院している間には一時的な不眠に陥ります。

痛み、不安に加えて夜も眠れないなか、あなたはひとりぼっちで人生最大の恐怖と向き合わなければならないのです。

『エンディングノート』という、私の大好きなドキュメンタリー映画があります。一番好きな映画は、と聞かれたらこれを挙げます。

映画監督である実の娘が、父が胃がんと診断されてから、最期のご臨終、そしてお葬式までの約半年を撮り続けた映画です。

がんと宣告されてから、抗がん剤治療を受け、徐々に弱っていくお父さん。そのお父さんと家族の、哀しくもあたたかい、まぎれもない本心の移り変わりを撮った、きわめてまれで、貴重な映画です。

そのなかで、妻がお父さんにこう尋ねます。

「あなた、病院に入っちゃったらさみしくない？　毎晩ひとりで、いろんなこと考えちゃうんじゃない？」

お父さんは半分泣きながらこう答えました。

「毎日考えてる。それはね、毎日考えてる」

人は、自らの死を見つめながら、誰にも、ときには家族にも相談できずひとりぼっちで耐えるのです。

その心に吹き荒ぶ強風は、ほかの誰からも見えません。

ただひとりで、じっと耐えるほかないのです。

様々な理由で、夜眠れない患者さん。

正直に言って、医者にできることはあまりありません。

少し乱暴かもしれませんが、夜眠れない患者さんには、私は積極的に睡眠剤を使うことをお勧めしています。

もちろん、「睡眠剤はちょっと」と抵抗を示される方は少なくありません。

ですが人間にとって、夜眠り朝起きるという「概日《がいじつ》リズム」を保つのは医学的にもとても大切なこと。病院という慣れない環境で、しかも心に強風が吹き荒れるなかで病いと闘うために、薬の力を借りることは決して悪いことではない。

そんな理由から、私は睡眠剤を使って夜はしっかり寝た方がいい、と考えています。

着陸が近づくとき、医者は、家族は？

私は外科医ですが、末期がんの患者さんの最期をお看取りすることもしばしばあります。

たとえば、こんな患者さんです。

がんが肝臓に転移し、抗がん剤で一度は小さくなったものの、一年半くらいでぐぐっと大きくなり、数も増えてきてしまった。

肝臓のほとんどが、がんで占められるようになると、もう抗がん剤による治療はできません。体力が落ちて一日をベッドの上で過ごすくらいになると、抗がん剤を用いる方が、むしろ寿命が縮んでしまうからです。

私たちは、「ベスト・サポーティヴ・ケア（Best Supportive Care）」という治療方針に切り替えます。直訳すると「最善の支持的な治療」。わかりやすく言い換えると、「がんに対決する治療はしないで、極力体力を失わず、痛みやだるさ・吐き気などの嫌な症状をとっていく治療」でしょうか。

その英語の頭文字をとって、「BSC《ビーエスシー》」と私たちは言います。

この段階になると、幅はありますが、半年以内にエンディングを迎える方が多いでしょうか。

飛行機のフライトにたとえるなら、目的地が近づいているのでそろそろ着席し、シートベルトを着用せねばならないタイミングです。

これはあまり知られていないのですが、がんで最期が近づくと誰でも意識が悪くなり、もうろうとしてきます。

三十代から六十代くらいまでの若い人は、体力があるためか、意識が悪くなってから二週間くらい頑張る方もいらっしゃいます。七十、八十、九十代くらいのご高齢の方は、意識が悪くなって一週間以内にそのときを迎える方が多いですね。

「意識が悪くなる」とは、どんな具合でしょうか。

これは、ご家族との会話がほとんど不可能になる状態です。医師はこれを、「意識レベルが低下する」と言います。

目が合っているような、合っていないような感じです。声は出せません。

「痛いですか？」と聞くと、なんとなくうっすらとうなずく。「昨日より痛いですか？」と聞くと、もう返事はわからない。

このくらいでしょうか。

テレビや映画でよく、間違って表現されているのがこの点です。

あなたも、亡くなる前日まで家族と話をして、お別れができると思っていませんでしたか。

そうではないのです。

私の経験上、最期の最期までご家族や友人とお話ができるという方はごくまれです。


では、なぜ意識が悪くなるのでしょうか。


少し専門的なお話になります。

がんというもののボリュームがからだのなかでかなり大きくなるだけでも、意識は悪くなります。

ほかにも、がんがからだのなかの大事な臓器、たとえば肝臓や腎臓・尿路などにできてその機能を悪くしてしまうことでも、「肝性脳症」や「尿毒症」と言って、からだに毒素がたまり意識は悪くなります。

あるいは痛み止めを使ってもなかなか痛みがとれず、どんどん量を増やしていくうちに痛みは落ち着いたけれど、薬の効果でぼんやりしてしまうこともあります。

これは奥の手ですが、「苦痛を減らす」ことを目的として、わざと眠くなるような薬を使うこともあります。

でも、ひとつだけ。
あなたの人生の最期のクライマックスの一週間に、あなたが眠くなってしまうこと。
そんなに悪いことだとは、私は思いません。

最期の最期、ラスト二週間の時間。からだのあちこちに激痛があり、ろくでもない病室なんかでひとり天井を見つめる。自分という存在が、この世に占めていた体積が、近い未来に必ず消滅する。たぶん戻ってはこられない。
会いたい人たちとも、ずっと会えなくなる。

そんな時間を、はっきりとした頭で、まるでカウントダウンするように、自分の地平線に向かって着陸していくのは、ちょっと残酷です。

この「あと二週間くらいだろうか」と思われるあたりから、私たち医者や看護師は、どうやって「ソフト・ランディング」していくお手伝いをするかを考えるのです。「ソフト・ランディング」とは、直訳すると「軟着陸」でしょうか。

間違っても墜落しないよう、乗客に「ガクンッ！」なんて衝撃をあたえないよう、ゆっくりと、ふんわりと、気づかれないくらい自然に着陸をしていただきたいのです。

ただ、私にはひとつ、このときにいつも気になっていることがあります。

それは、病室で付き添うご家族のこと。

いよいよもういつ心臓が止まってもおかしくない、そんなときに私はご家族にそのことをお伝えします。

「なんにち、の単位であり、週、はもたないでしょう」といった具合に。

「当機はまもなく、最終の着陸態勢に入ります」。着陸前の最後のアナウンスです。

すると、付き添いのご家族は、交代交代で二十四時間態勢で付き添いはじめます。

私としては、「そのとき」の予兆があった時点でご連絡しますから、ずっと付き添われなくていいですよ、とお伝えするのですが、多くの場合ずっと付きっきりになられます。

日本人は、「死に際」に立ち会えたかどうかをとても重視するからでしょうか。一分一秒でも長く一緒にいたい、という想いのあらわれなのでしょうか。

その頃はもう個室に移っていただいているので、ほかの患者さんが気になることはありません。とは言ってもそう広くはない病室に、小さく硬い簡易ベッドをお貸しして寝泊まりしていただくわけです。これはかなりきつい。

最近は八十代の夫婦が病室に二人きりで、子どもたちは遠方で仕事があるから来られない、ということも珍しくありません。

私は若造なので、「親の最期の付き添い以上に大切な、重要な仕事がこの世にあるのか」などと思ってしまいますが。

自分の大切な人がものも言えず、点滴につながれて寝ている。いつ「そのとき」が来てもおかしくない、と医師から言われている。

もうすぐ、大切な人がいなくなってしまう。この自分のいる世界から、永久に。

その哀しみと苦しみを、胸いっぱいに抱えながら、ただ静かな病室で何日も寝泊まりする。

私が毎日患者さんのお顔を拝見しにいくと、日に日にやつれていくご家族を目にします。いかばかりお辛いだろうか。

せめてそんなご家族がもう少しゆっくり過ごせるスペースがあればよいのですが……。

ときには、「着陸の最終態勢」に入ってから、三週間くらい頑張られる患者さんもいらっしゃいます。そうすると、ご家族はさらにくたくたになってしまいます。

ですから私は、「着陸態勢」の患者さんのお部屋に入るときには、患者さんだけでなく、ご家族にも必ず声をおかけするようにしています。

「あまり、お疲れになりませんように。ご無理をなさらないようにしてくださいね」と。

最期のときというのは、残された人には忘れられないものです。

本当に一番最期の、亡くなったときの情景をとても詳細に、ありありと憶えている人は多いですね。

残された人にも、「穏やかな、あの人らしい最期だったね」と言われるようなランディングが迎えられるよう、考えたいものです。


そして、最期の瞬間に立ち会えなかったと苦しむご家族の方へ。

本当に申し訳ない話なのですが、正直に申し上げて、医者にとっても「そのとき」がいつなのかを見極めるのは本当に難しく、「今夜がヤマでしょう」とか、「四十八時間以内くらいでしょう」ぐらいしか言えません。しかもそれを外すこともしばしば。


だからというわけではないのですが、現実問題として仕事や子育てをしながらの看病であれば、その瞬間に立ち会えないことは珍しくありません。

むしろ、お元気なときにどれほど心を尽くし、言葉を尽くし想いを尽くして大切な人と触れ合ったか。

その方がはるかに重要なことではないかと、私は思っています。

人は生きてきたように、死んでいく

緩和ケアという学問に、こんな言葉があります。

「人は生きてきたように死んでいく」

このフレーズは、「人の最期のときは、その人の人生そのものを凝縮している」というような意味でしょうか。

一生涯をかけて誰も愛してこなかった人、誰にも本気で尽くしてこなかった人。そういう人は、残念ながら誰からも付き添われず、病院のベッドでひっそりと淋しい最期を迎えます。

それとは対照的に、たくさんの人を愛して、たくさんの人を慈しみ、お世話をした人の最期とは、どんなものか。

私は医師として、最期の数年にのみ関わるだけで、その人の何十年という人生は知りません。

でも、ひっきりなしに訪れるお見舞客や、毎日病室に来る大勢のご家族を見ていると、「ああ、この方はきっとたくさんの人を愛して、お世話してきたんだなあ」と思います。

そうしてたくさんの人やお花に囲まれて、そのときを迎える人は本当に安らかに、眠るようにして逝かれるのです。

私たち医師や看護師は、薬剤を使って痛みを取り、いろいろな手段で「ソフト・ランディング」を目指します。でも、最期を迎える人に寄り添い、手を握り、涙を流して「ありがとう」と言う人の代わりはできません。だから、日頃からご家族や友人など、大切な人との関係を育んでいただきたいと思うのです。

「人は生きてきたように死んでいく」

人は、その最期の瞬間、まさに息が止まるその瞬間になって、何十年という生の結論を凝縮させ一瞬で昇華させるのでしょうか。

第五章 死を見つめた人々

ここまで、病院のお話や患者さんのお話をしてきました。
今度は少し角度を変えて、有名人や私の知人などで、「こんな死との付き合い方があるんだな」と感じた方のお話をしてみたいと思います。

「死って、なんだろう？」

私は、この疑問に対して、誰にでも通用するような普遍的な答えはないのではないかと思っています。死は、いつも個人的なもので、ひとりひとり違うし、違っていいものだと思うのです。
これからお話しするなかに、もしあなたのお好みのスタイルがあったら、ぜひ参考にしていただきたいと思います。

村上春樹氏の『ノルウェイの森』

村上春樹氏は、著書『ノルウェイの森』（講談社）で、死についてこう書いています。

主人公が親友を自死で亡くしたときの台詞です。

死は生の対極としてではなく、その一部として存在している。

この言葉は、実に端的に「生と死」というものの本質をついていると思います。私の「死」のイメージともかなり重なります。

人はこの世に生まれ落ちたときすでに、自身の存在のなかに「死」を持っていて、徐々にそれを育てているのです。生まれたときには小さいサイズの足が、大人になるにつれて大きくなるように。木が成長するにつれて幹を太くし、根を張っていくように。あなたは年を取るにつれて、自分のなかの「死」を大きくしているのです。

絵にすると、次ページのようなイメージでしょうか。

卵の殻のなかでひよこが大きくなり、最後には殻を突き破るように、死は最後に生を凌駕《りょうが》します。

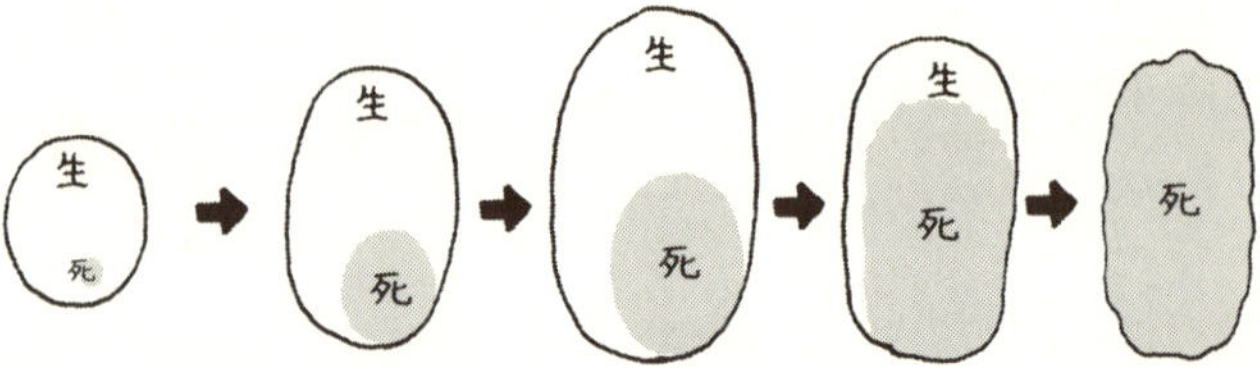

潜んでいます。あなたのなかに。

ふだんは気づかないけれど、音もなくひっそりと存在しているのです。

ぎんさんの娘たち、死を笑う日々

かつて国民的人気を誇った長寿の双子姉妹「きんさんぎんさん」を憶えていますか？

その「ぎんさん」には、四人の娘さんがいらっしゃいます。みなさん、もう九十歳近くですがとってもお元気。いくつかの戦争と伊勢湾台風を経て、今も元気にラジオ体操をしたりうなぎを食べたり。姉妹とても仲良しで、みんなご近所住まいだそうです。

一緒に裁縫をしたりほおずきの苗をお裾分けしたり、一〇〇段もの階段を上ってお参りにもいきます。

そんな彼女たちは、死をどう捉えているのでしょうか。とても素敵な「死」との付き合い方だったので、ご紹介します（ヒューマンドキュメンタリー『ぎんさんの娘たち〝死〟を笑う日々』〈二〇一三年九月放送、ＮＨＫ〉より）。

長年生きてきて、孫もひ孫も見たし、あとは死ぬだけ。今は「生き得《いきとく》」とおっしゃいます。生きているだけで得だという意味だそうです。

「昨日笑ってたのに今朝死んどるみたいに、ころっと死にたいなー、でもそれは欲が深いなー」とおっしゃって、死を笑う日々。

母であるぎんさんは、亡くなるその日まで大好きなみかんを食べて笑っていたそうです。

彼女たちは死を毎日意識しています。

そのうえで、死を笑い飛ばす。

縁側で、姉妹そろってみかんを食べながら、

「あんた末期《まつご》の水はどうするの」

「酒か？」

「わしは末期の水なんでもいい。水道の水でもいい。ホースをあーっとごくごくごくーさいならー。みんな達者でやれよーと言っていなくなる」

なんて言って、大笑いしながら実にあっけらかんとお話しするのです。

こんな日常的な、あっけらかんとした死との接し方は、なかなかできるものではありません。戦争や災害などたくさんの辛い思いをし、多くの身近な人の死に接してきた彼女たちがたどり着いた達観は、「死を笑う」ことだったのです。

とても素敵だと思いませんか。

遠ざけるのでもなく、恐れるのでもなく、拒否するのでもなく。しっかりと死を見つめたうえで、受け止めたうえで、笑い飛ばしているんですね。

ここまでたどり着くのは難しそうですが、あなたもぜひ一度、ご家族や大切な人と笑いながら、死について話してみてはいかがでしょうか。

死ぬとは「近所の島に行く」こと

世界地図で、日本から南にまっすぐいくと、オーストラリア大陸がありますね。そのすぐ北に、パプア・ニューギニアという国があります。そのなかのひとつの島のお話です。島々からなる、日本と少し雰囲気の似た国です。

この地域の人々は、昔は死ぬと「近所の島に行く」と思われていました。

その近所の島で実際に生活をし、結婚したり仕事をしたりして、また戻ってくると考えられています。

「死」という目に見えないもののなかで、「いなくなる」というところに注目して、「ただ別の島に行っただけなのだ」と考えるのは、なんだか哀しみを少し和らげてくれる気がします。

私たちがよく言う、「おじいちゃんは天国へ行ったのよ」というイメージと似ていますよね。

大切な人が亡くなったとき、一番私を苦しめたのは、

「もう二度と会えない」

という、「不在の感覚」でした。

あの人が病気で、事故で死んでしまった。辛かっただろう。無念だっただろう。そんな感情よりも、「もう二度と会えない。さみしい」という気持ちが、一番辛い。たとえば夫や妻など、一日の半分くらいの時間を一緒に過ごしていた人がいなくなったら、その時間はひとりぼっちになります。しかもそのひとりぼっちは自分が死ぬまでどうやらずっと続き、もうその人には未来永劫会うことができない。こんなに切ないことがあるでしょうか。


私の父は、自分の父を亡くしたとき、私にこんなメールを送ってきました。

「これで母も父も亡くなってしまった。私は天涯孤独です」

実際のところ父には妻もいて子どもも三人いるので、天涯孤独でもなんでもありません。しかし「もう両親には永遠に会うことができない」というさみしさが、父にこのようなメールを書かせたのでしょうか。


私は医師になりたての頃、ひとりの友人を失いました。これから一緒に頑張っていこう、と言っていた親友でした。

研修医の生活のさなかのことです。これまでの人生で最も否定され、自分の価値を見いだせず、ただただ我慢をし続けたとき。朝から晩まで、訳もわからず怒られ続け、肉体的にも精神的にもかつてなく過酷なとき。そんな生活を共にした、まさに戦友とも言うべき大切な友でした。

彼を失ってから私を一番苦しめたのは、「彼がいないということ」と、「もう一緒に酒を飲んだり愚痴を言い合ったりできないこと」でした。

そんなとき私を慰めてくれたのは、処分し忘れたのだろう、彼の名前の入ったスリッパを履いて使うことでした。同じ喪失の経験をした仲間たちと、彼の話をすることでした。

そうやって彼の存在を文字通り踏みしめることで、「不在」を少しでも紛らわせ、薄めて、なるべく実感しないようにしたのでしょう。

「きっといつかまた、あいつにどこかで会えるよ」

もしあのとき誰かがまっすぐに私の目を見て、真摯にこう語りかけたなら、あるいは私は信じたかもしれません。実際に彼が、私の手のなかで徐々に冷たくなっていくその感覚まで、しっかりと憶えているにもかかわらず。

一方で、死を「何も変わらない」とする人々がいます。

フィリピンのマノボ族は、死んでも、いつもと同じ日常が続くと考えるそうです。ただ、死の国に「駒を進める」だけ。

「イブー」という死の国は、現世の延長。しかし、現世のわずらわしさはありません。先に死んだ人と再会し、普通に結婚したり仕事をしたりして、平和に暮らし続けるのです。天国でも地獄でもなく、現世と切り離されていない世界。

ずっと続く同じ道の、たとえば信号機のような、踏切のような、そんな一時停止。それが死だと考えたら、死はどんなに穏やかで、ふわりと受け入れやすいものになるでしょう。

死後には現世とは違う死後の世界があり、そこで自分より先に死んだ人々はひなたぼっこでもしてゆったりと暮らしている……そんなイメージが、日本人の頭のなかには多いようです。このマノボ族の、現世と同じ世界に「駒を進める」だけといった死生観は、新鮮ですね。

これもまた、「不在の感覚」を和らげる、ひとつの工夫なのかもしれません。

（参考文献　寄藤文平『死にカタログ』大和書房）

プロレスのリングの上で死ぬ幸せ

竜司ウォルターさんというプロレスラーにお会いして、インタビューさせていただきました。

元「格闘探偵団バトラーーツ」所属、現役のプロレスラーです。日本生まれで、幼少期に渡米しアメリカで育ちました。もともとはウェイトリフティングや要人の用心棒などをしていたのですが、ある有名なレスラーと知り合い、その背中を追いかけるように、二十一歳でプロレスの門を叩いたそうです。

大きいからだに優しい目をした、ダンディーな方です。

私が彼に聞きたかったのは、

・自分の死を意識したことはあるのか

・死は怖くないか

ということでした。

プロレスを一度は目にしたことがあるでしょうか。強靭な肉体を持つ男性や女性がリングの上で、対戦相手を頭から落っことしたり、思いっきり投げ飛ばしたりするという、医者から見てもとても危険なスポーツです。ショーの要素があるとはいえ、やっていることの危険さはボクシングや空手などの比ではありません。

私は竜司さんに、「試合中や練習中に、自分が死ぬかもしれないと思ったことはありますか？」と尋ねました。

そうしたら、こんなふうにお答えくださいました。

「ありますよ、何度も。現に私の弟子もいのちが危ういほどの大怪我をしてしまったし。プロレスって危険な商売で、一番怖いのは自分が有頂天になっているときなんです。最も死に近い状態、それは、試合中に〝飛んだ〟ときです。

たとえば、試合中に一発顔面にパンチをもらう。火花が散る。相手の顔が見えなくなってくる。それでも戦う。そして、試合が終わるゴングを聞くと、途端に気絶しちゃう。試合中は立って元気で戦っているのですが、あとから思い出すと、何も覚えていません。これを、〝飛んだ〟と言います。かなり危険だと思いますが」

おそらく医学的には脳しんとうを起こしていて、失神寸前のところで気力だけで立っているのでしょう。ものすごい気力です……。

激しいトレーニングをし、肉体も精神も究極まで鍛えているから、このようなことができるのでしょう。

「そうやって、死ぬかもしれないと思ったときに、恐怖は感じるんですか?」と尋ねると、

「正直言って、恐怖はありません。それよりは麻痺などになって生き延びてしまう方が怖いですね。プロレスは自分が選んだ道だから、怖いというのはない。リングに上がって、とんでもないことなんてしょっちゅうある。この相手は強い、ヤバいと感じることはよくあるんです」

次にこう伺いました。

「竜司さんは、死ぬのが怖いですか?」

すると、彼はにっこり笑ってこう答えました。

「死ぬのが怖いですかと言われて、怖くないと言える人なんていないんじゃないかと思います。でも、俺は怖くない。なんで俺がプロレスやってて死ぬのが怖くないか。

自分が選んだ道だからです。一〇〇パーセント自分が選んだことだからです。しかも、お客さんがお金を払ってチケットを買って、わざわざ足を運んで来て見てくれている。そのなかで散ってしまうなら、これは本望かもしれない。こんなに幸せなことはない。お客さんが俺の死を見てくれた、ありがとうと思う。あとから葬式をやるよりも、その場で死に際を見てもらう、これこそが葬式なんじゃないか」

医者の立場からしたら、いくら日頃から鍛えているとはいえ、失神寸前のところを気力で立っている状態など、すぐにストップをかけるべきなのでしょう。

でも、この話を聞きながら、私は鳥肌が立ちました。

自分で自分の道を選んだから、たとえいのちを落としたって悔いはない。

なんと潔い、なんと迷いのない返事でしょうか。

私に、その覚悟はあるでしょうか。

事実、以前有名なプロレスラーが試合中に亡くなる事故がありました。

三沢光晴選手です。二〇〇九年六月の試合中に、リングの上でバックドロップを受けた直後に心肺停止になり、死亡しました。多くのファンが哀しみました。

死因は、「頸髄離断《けいずいりだん》」だったそうです。頸髄という、脳から背中に向かって走る、ごぼうより少し太いくらいの神経が、おそらくバックドロップで首の骨が折れるとともに、ちぎれてしまったのでしょう。断裂してしまうと呼吸が止まりショック状態になります。おそらく即死に近い状況だったのではないかと思います。

三沢選手のような熟練の選手でも、たった一回の技でこんなことが起きてしまうのです。

竜司さんはこうも続けます。

「お客さんのことを考えたら、リングの上で死んではいけない。お客さんが哀しんだり、プロレスを嫌いになったり、プロレス界にもし迷惑がかかるとしたらこれはいけないと思う。ファンのことを考えると、それはしてはいけないことだと思う。

でも本音を言えば、リングの上で死ぬことはどんなに幸せか。俺の戦いを見て、俺の散るところを見てくれて、ごめんね、と言いながらも、ありがとうと思う」

彼はおそらく、本当に死を実感したことがあるのでしょう。そして今も日々すぐ近くに死を感じているのでしょう。

だからこそ、迷いなく「怖くない」と言い切れるのかもしれません。

一〇〇パーセント自分が選んだことだから、死さえ怖くないほど充実しているのでしょう。

ファイターらしい、とても潔いお答えでした。

こんなふうに生きたい、そう思わせてくれるインタビューでした。

強制収容所でも希望を失わなかった人

ときは第二次世界大戦。ナチスドイツがユダヤの人々を、「ユダヤ人である」というだけの理由で強制収容所に送り、多くの人がいのちを落としました。ユダヤ人以外にも、ロマ（ジプシーと呼ばれていた人々）、同性愛者、社会主義者などが収容されたそうです。


その収容者のなかのひとりに、フランクルという精神科のお医者さんがいました。

彼は、過酷で悲惨な収容所生活を一精神科医として冷静に見つめ、奇跡的に生き延び、終戦後にその経験をもとに本を書きました。それが不朽の名作『夜と霧』（池田香代子訳、みすず書房）です。

三十六歳で結婚した彼は、その九カ月後に家族とともに強制収容所に連行されます。
連行された彼はまず、持ち物をすべて奪われ、全裸にされて全身の毛を剃られ、からだに鞭を打たれました。名前さえ奪われ、代わりに「一一九一〇四」という収容者番号のみを与えられます。

それから始まった強制収容所での生活。少ない睡眠時間と、一日にパンひとかけらか薄いスープ一杯という食事で、飢え死にする人も多かったそうです。雪の残る冷たい作業場で、ぼろきれ一枚をまとい裸足で一晩中立たされることもしばしば……。「飢餓浮腫」と言って、人間は極端に飢えると足がぱんぱんにむくみ、お腹に水がたまってお腹が出ます。そんな状態で裸足で雪道を行進し、厳しい土木作業をさせられる。自分たちの糞尿だらけのところで、ぎゅうぎゅう詰めになって寝る。毎日殴られ、「この豚野郎」と罵《ののし》られる。そんな生活を強いられました。

想像を絶する生活です。「この世の地獄」とはまさにこのことです。死にたくなる人もたくさんいたようです。そんな状況で、人々はどんな反応をしたのでしょうか。

そのとき人々は、「あらゆる感情が麻痺」しました。

フランクルは自身の体験として、「感情の麻痺」をこのように語っています。

がつがつと飲みながら、ふと窓の外に目をやった。そこではたった今引きずり出された死体が、据わった目で窓のなかをじいっとのぞいていた。二時間前には、まだこの仲間と話をしていた。わたしはスープを飲みつづけた。

もしも職業的な関心から（筆者注―精神科医としての関心から）自分自身の非情さに愕然としなかったとしたら、このできごとはそもそも記憶にとどまりもしなかったと思う。感情喪失はそれほど徹底していた。

こうやって感情を失うということは、人間が自分を守るために必要な現象です。

こんなふうに、感情が鈍くなった経験はありませんか？

あまりにショックなことが起きたときに、喜怒哀楽といった感情がすべて鈍くなり、なんだか世界が自分のいる世界でないような気がしたことが……。

収容所において、あらゆる感情は鈍くなり、人々の関心はたったひとつのことに集中しました。それは、

「生き延びること」

でした。

少しでも調子が悪そうにしたり、あまり働けていない様子を監視の者に見られると、すぐにガス室に送られる。現場監督に少し口答えをしただけで、かかとで蹴られ、銃身で殴られて死者をたくさん出している危険な現場に送られる。

誰かの気まぐれやほんのちょっとした偶然で、自らの生命が奪われたり、少し生き延びられたりする。

そんな究極の場所で、収容者は夢を見ます。

とにかく、あれは忘れられない。ある夜、隣りで眠っていた仲間が恐ろしい悪夢にうなされて、声をあげてうめき、身をよじっているので目を覚ました。以前からわたしは、恐ろしい妄想や夢に苦しめられている人を見るに見かねるたちだった。そこで近づいて、悪夢に苦しんでいる哀れな仲間を起こそうとした。その瞬間、自分がしようとしたことに愕然として、揺り起こそうとさしのべた手を即座に引っこめた。そのとき思い知ったのだ、どんな夢も、最悪の夢でさえ、すんでのところで仲間の目を覚まして引きもどそうとした、収容所でわたしたちを取り巻いているこの現実に較べたらまだましだ、と……。

うめき、身をよじるほどの恐ろしい夢であっても、収容所という現実に比べたらまだましだったのです。

どんなに過酷な状況だったのでしょうか。


生き延びるために感情を麻痺させることができない人もいたのでしょう、その過酷さから、「鉄条網に走る」人も大勢いたといいます。収容所を囲う鉄条網には高圧電流が流されており、ここに触れることは自死を意味します。

そんななか、いったいどんな人が希望を失わず、こころを保ち続けて生き延びたのでしょうか。フランクルを鉄条網に走らせず、絶望のふちでも生き延びさせたものはなんだったのでしょうか。


フランクルは、ある仲間が、こうつぶやくのを耳にします。

「ねえ、君、女房たちがおれたちのこのありさまを見たらどう思うだろうね……! 女房たちの収容所暮らしはもっとましだといいんだが。おれたちがどんなことになっているか、知らないでいてくれることを願うよ」

これを聞いて、フランクルは衝撃を受けます。

「そのとき、わたしは妻の姿をまざまざと見た！」

日の出前の暗いなか、氷のように冷たい風にさらされ、「雪に足を取られ、氷に滑り、しょっちゅう支え支えられながら、何キロもの道のりをこけつまろびつ、やっとの思いで進んでいくあいだ、もはや言葉はひとことも交わされなかった。だがこのとき、わたしたちにはわかっていた。ひとりひとりが伴侶に思いを馳せているのだということが」

フランクルは収容所に入ってすぐに、妻とは離ればなれになりました。収容所は手紙も何もかも禁止されていたため、彼には妻の生死や、どこにいて何をしているかなどはまったくわからなかったのです。実はこのとき、すでに、フランクルの妻は亡くなっていました。

でも、彼は妻を思慕しました。

わたしは妻と語っているような気がした。妻が答えるのが聞こえ、微笑むのが見えた。まなざしでうながし、励ますのが見えた。妻がここにいようがいまいが、その微笑みは、たった今昇ってきた太陽よりも明るく私を照らした。

そこで、フランクルは「真実」を理解します。その「真実」とは……。

愛は人が人として到達できる究極にして最高のものだ、という真実。……人は、この世にもはや何も残されていなくても、心の奥底で愛する人の面影に思いをこらせば、ほんのいっときにせよ至福の境地になれるということを、私は理解したのだ。

フランクルを生きさせたのは、「妻への愛」でした。そのときに「妻が生きているかどうか」は問題ではなく、フランクル自身の妻への愛、妻への思いが、彼を満たしたのだと思います。

一方でフランクルは、収容所にいながら英雄のようなふるまいをした人々についても、書いています。

極限的状況において、自分以外の人々に優しくし、声をかけ、飢えた自分をさしおいて、なけなしのパンを分け与えた人がいたそうです。

収容所は、文字通り「すべて」を奪いました。持ち物も、家族も、あらゆる権利も、名前でさえ。

そんななかで、ひとつだけ奪えないものがあった、とフランクルは言っています。それは、与えられた状況でいかにふるまうかという、「精神の自由」でした。

収容所はその人間のどんな本性をあらわにしたかが、内心の決断の結果としてまざまざと見えてくる。つまり人間はひとりひとり、このような状況にあってもなお、収容所に入れられた自分がどのような精神的存在になるかについて、なんらかの決断を下せるのだ。

このような状況下でさえ、勇敢でプライドを持ち、無私の精神を持ち続けるか。あるいは保身に走り、自分が生きることだけを優先するか。

私は、収容所で自分の生命を守ろうと利己的になり、他の人から奪った人々のことを決して非難できないと思います。

でも、すべて奪われても自分のふるまい、こころのありようだけは失わずに死んでいった人は、本当に「自由」だったのだと思います。

そんな人に最大限の敬意を表するとともに、私はそのような「自由」に、憧れさえ覚えます。

そして、これは何も収容所に限った話ではないのだと思うのです。

ふだんの暮らしのなかで突然降りかかる、病気や災害。それにどう向き合い、どうふるまうか。

自分の運命に、死に、毅然と立ち向かえる人は、本当に「自由」なのだと思います。

生命保険に入ることと死を想うこと

生命保険って、ふだんはまったく必要を感じないものですね。しかも毎月お金を支払って、なんだか損な気持ちになることもあります。

私も加入していますが、一年に一回くらいはなんだかもったいなくて継続をやめたくなることがあります(笑)。

でも、いざというときにとても大切なものであることは確かです。

その意味で、私のコンセプト「死を想う」と生命保険は似ているのではないかと思い、生命保険会社の方にインタビューをしました。

朝倉正子さん。プルデンシャル・ファイナンシャルの子会社である、ジブラルタ生命保険株式会社の支社長さんです。富士通勤務を経て、三十五歳で転職し、この業界に入りました。長身で細身の、スーツの似合うとても美人な方です。

彼女にお会いして聞きたかったことは、

「お客さんを、どうやって生命保険に加入する気にさせるのか」

これはつまり、「どうやって自らの死について考えてもらうのか」という質問にほかなりません。

そしてもうひとつお伺いしたかったのが、

「生命保険という目に見えないものの、目的とはなんなのか」

です。

実際の営業手法についても、尋ねました。彼女の勤めるプルデンシャル・グループの営業手法は、保険業界でもとくに優れているといわれているそうです。

私の、「どうやって生命保険に加入する気にさせるのか」という問いには、こう答えてくれました。

「ふだん私たちが生活しているなかで、『明日死んだらどうしよう』と考える方はほとんどいませんよね。だけど現実的には、突然死んでしまうことはあります。自分が死ぬだけなら、自分がいなくなるだけなので困ることはないと思うかもしれません。でも、残された奥さんや子どもはどうするのか。大切な人たちが生きていくための、お金はどうするのか。

そのことに気づかないままの方がとても多いのです。その気づかないニード（＝need、必要性）に、気づいてもらう。意識の奥に潜っているニードを掘り起こして、意識の上に持ってくる。潜在的なニードを、顕在化する作業が必要です。これを、『ニードセールス』と呼んでいます」

なるほどたしかに、そのニードを日々感じている方なんていないでしょう。でも、それをどんなふうに説明するんでしょうか？

「まずは一般的なお話をするんです。たとえば四人家族で生活している。お父さん、お母さん、小学生の子ども二人。

ある日お父さんが突然、交通事故で死んでしまった。全日本交通安全協会の報告によると一年で四四〇〇人くらいが交通事故で死亡しています。二時間にひとり、死亡している計算です。そんなにありえない話じゃありませんよね。

残されたお母さんと子ども二人は、節約して切り詰めて生活をして、月一〇万円で暮らしたとしましょう。奥さんが三十歳くらいとして、平均寿命まであと五十年生きるとしましょう。するとひと月一〇万円で一年で一二〇万円。それが五十年だと一二〇万かける五十年で六〇〇〇万円が生活費として必要です。実際には遺族年金等が払われますが、その額は決して十分な金額とは言えないと思います。

小学生の子どもを二人持った三十代のお母さんが、六〇〇〇万円稼ぐのは大変です。子どもが大学進学をあきらめて、早めに働いて助ける、というのが現実的になると思います。それってとても大変なこと。お父さんが生命保険でそれだけのお金を残してくれていたら、子どもたちは大学まで進学できるかもしれない。好きなことができるかもしれない。お母さんだって、身を粉にして働かなくてもよくなるかもしれない。

でも、普通の方はその六〇〇〇万円に気づきません。それに気づいてもらうのが私たちの仕事です」

たしかに、こんなふうに具体的に言われると、いざというときに大切な人を守るのは自分の生命保険だったりするように思います。

私は保険会社の回し者ではありませんが、生命保険とは大切な人を守るためのもの、そんなに優しい商品だったんですね。

そして朝倉さんは、さらにこう続けました。

「生命保険には、死亡保障以外の商品もあります。『医療保険』や『年金保険』などです。本当は、病気になったときにお金をもらう『医療保険』や、年を取ったらお金をもらう『年金保険』の方が売るのは簡単なのです。ニードがすでに顕在化しているからです。『自分が死んじゃうな』と思う方はまずいないけど、自分が病気や怪我で入院したりしたらお金に困るな、と思う方は多いから『医療保険』に入る。自分が長生きすると思っている方が多いから、自分が高齢者になったときのお金に困るだろうなと思って『年金保険』に入る。

でも、本当に必要なのは、死亡保障なのです。

本当の危機は、やはり病気でも年を取ったときでもなく、死んでしまったとき。医療保険でも年金でもなく、死亡保障。でもそれに気づかない、あるいは気づかないようにしている方がほとんどなのです。理由は、怖いからです」

なんだか、この本のコンセプトと似ている気がしてきました。

でもどうやって、具体的に気づいてもらい、お金を払って保険に入ってもらうのでしょうか。

「ある方と会って、生命保険の加入を勧めるとき。

実は、まずはじめはだいたいみんな拒否します。見たくない、考えたくない。拒絶からセールスが始まるのです。

そこから説得して、自分の家族を守らなければ、というところまで持っていきます。

具体的には、論理を唱えて、感情に訴えます。

まず論理。もしあなたが死んだら、いくらいくら必要で、残された家族はこういうふうになる。

次にハートに訴える。感情に訴える。

あなたが死んだら、子どもはどう感じますか。奥さんはどう感じますか。

たとえば、私たちプルデンシャル・グループでは、年に一回ボランティア・デーというものを設けています。全世界の二万人を超える社員が、一斉にボランティアをするんです。

私は、あしなが学生募金によく参加させていただいています。

あしなが学生募金は、親が交通事故や自殺で亡くなって、学費がない子どもたちの学費や生活費をサポートするものです。

自分の親が、もしものときの備えをしなかったために、あしなが育英会に頼らざるをえないのです。

しかし、もしすべての親御さんが突然死んでしまうリスクを考え、その後の子どもの学費のことまで気づいていたら、そもそもあしなが育英会は存在しないのです。

援助を受けている学生さんと会ってお話をしたことがあります。

その学生さんは、私にこう言ったんです。

『私は自分のお父さんを憎んでいる。お父さんが自分たちのことを何も考えてくれていなかったから。気づいてくれていれば、なんとかなったのに。だから憎んでいる』

そんなお話をすることがあります」

不慮の事故にあい、突然不治の病に襲われ、死んでしまうということは避けられません。そんな悲しい運命に加えて、自分がこの世からいなくなったあとに子どもから憎まれる。こんな辛いことがあるでしょうか。こんな不幸なことがあっていいんでしょうか。

「私がこんなお話をすると、いかに生命保険が大切な備えなのか、大切な人を守る道具なのかということに気づいていただけます。そこまで気づいていただいて、そこから生き方が変わったり、家族を大事にするようになったりする方も大勢いるんです」

でも、私のように加入して一年なり二年なり時間がたつと、「毎月二万円はもったいないな」とか「そういえばうちは長寿の家系だった」とか言って、契約を解約したくなる方もいるんじゃないでしょうか？

「はい、たしかにその契約の瞬間は気づいていただけても、その後に忘れてしまう方はとても多いです。あんなに感動して、『私たちの家族を守ってください』と言っていただいて涙の感動的な商談をしたあと、『保険料高いからやっぱりやめようと思うんですけど』という方が多い」

そういうとき、朝倉さんはどうするんでしょうか。

「私たちは、『保険金を支払う』ことを最も大事な仕事、使命としています。加入していただくのも、いざというときにお金を支払うためです。残された大切な人に、生きるのに必要なお金を届けるためです。それには、保険の加入は続けていただかなければならない。でも、途中でやめたくなる方は多い。そんなときには再度お会いして、またニードを掘り起こすお話をするのです。

必ず、『自分がいつか死ぬ』ということは忘れます。そうすると、保険料が高く見えてくるのです（笑）。

だから、私たちは加入後も継続的にお客様にお会いして、『ニード』を思い出していただくのです。

契約がゴールではなく、あくまで『保険金のお支払い』をゴールにしているからです」

「保険を途中でやめてしまう方は多いんですか？」とお尋ねすると、このようにお答えくださいました。

「一回きりの買い物と違いますので、様々な理由により途中で解約してしまう方は、それなりにいます。もちろん保険会社にとっても長期契約前提の収支計算という観点もありますが、それ以上に、やはりお客様ご自身のために、目的の『保険金のお支払い』まで続けていただきたいと思うのです。途中でやめるのであれば、なんのために加入したかまったくわからないのです。

私たちは、『安心を売っている』とよく言います。

保険とは、万が一のときのダメージを軽減するためのものなのですね」

なるほど、「生命保険に入っておけば、いざというとき突然自分が死んでも、家族が路頭に迷うことはない」という「安心を売っている」んですね。あくまで自分のためではなく、大切な人のためなんですね。

私がお話を聞いていて、ひとつ疑問に思ったのが、「二十代くらいの若い方に生命保険の必要性をどう理解してもらうのか」ということでした。

「原理は同じですが、大きく分けて二つあります。

ひとつは、自分を育ててくれた親御さんに、恩返しをしたい。本当なら老後の面倒を見るはずだったのに、最大の親不孝をする、つまり親より先に死んでしまう。それならばせめて親にお金を残して金銭的に恩返しをしたい、と思っていただきます。でも最近の傾向として、親に恩返しをしたいと思う方はそれほど多くないようです（笑）。

もうひとつ、『高度障害』のお話をします。

生命保険には被保険者が所定の高度障害状態になってしまった際に、死亡保険金額と同額を支払う機能があります。たとえば自分が高度な障害を負ってしまい、働けない、身の回りの世話が自分でできないという状態になってしまったとする。収入はゼロになりますが、人生は続きますよね。そのまま五十年、六十年自分ひとりで生きていけるでしょうか。障害年金が月に一三万円出たって、生活費は足りないです。月一〇万足りないとすると、年間一二〇万、二十歳の方が高度障害になってしまい、八十まで生きると、六十年で七二〇〇万円。これを親に払わせるんでしょうか？　親が払えるんでしょうか。世の中で誰か援助してくれますでしょうか。

このお金を最低限自分の責任として、加入する。

つまりその方の責任感に訴えます。自分のお尻は自分で拭かなければ、と誰もがうっすら思っているんです。それを掘り起こしてあげるのです」

高度な障害を負う。たとえばバイク事故で、トラックにひかれて、脊髄損傷になる。腰から下はまったく動かず、感覚もない。しかし病院にずっといられるわけではありません。特殊な器具や装具などを買ったりレンタルしたりして、ヘルパーさんを雇って、なんとか自宅で生活をする。快適な生活を求めるためには、障害年金では足りず、その他の公的なお金ではカバーしてもらえないのが実情なのです。

毎日そんな「死」についてのニードセールスをしていて、気が滅入ることはないんですか？と問うと、こんなお返事でした。

「保険の営業は楽しいですよ。ふだん生活しているなかで、人と深く交わることって多くないですよね。しかし保険の営業は、その方の職業、年齢、家族構成、年収、人生設計まで聞いちゃうんです。そしてご両親のことも。そして、お話を聞いていくなかで、その方がどんな人で、どんなことを考えていて、家族のことをどう思っているか。それを把握して、その方にあった保険のプランを考えていき、ご提案する。『その方の人生のために』と本当に思わなければ、その方のとても近いところまで行かないと、プランは立てられない。だからとても楽しいのです」

なんだか医者の仕事と似ている気がします。病院にいると、患者さんを「全人的に」治療しなさい、とよく言われます。「全人的」なんて、なんのことだかまったく意味がわからない(笑)。でも、朝倉さんとお話をしていて、こういうのが「全人的」なのかな、と少し思いました。

印象的なエピソードはありますか？　と質問すると、こんなお話をしてくれました。

「以前私がセールスしていて、とても切ないことがありました。あるお客様がいらしたのですが、その方の性格上、どうしても死を想像できずに生命保険には入っていただけず、年金保険にだけ入りました。そしたらなんと、そのお客様がそのすぐあとで車にひかれてしまい、今度は車いすで私の前に現れた。一生車いすという高度の障害を負ってしまわれたのです。でもその方は、年金商品のみのご加入だったため、それまでにお支払いされた保険料相当額しかお支払いできなかった。そこで、『はい、私が担当者です、今まで払っていただいたお金で一生、頑張ってください』なんてとても言えませんでした。なぜもっと強くお勧めして、死亡保障にご加入いただだかなかったのか。悔しい限りでした。

私はこの仕事にプライドを持っています。万が一のときに経済的な面でしっかりとサポートしたい、その想いで私たちは日々お客様にお話をさせていただいております。本当にその方に万が一のことが起きても、お客様に経済的には安心していただけて『辛いけどこのお金で一生頑張っていきましょう』と言えなければ、担当者と言ってはいけないと思うのです。

営業というより、説得をしなければならないのが私たちの仕事です」

人を説得して、加入してもらうというそのお仕事ぶりに、朝倉さんのプライドを感じました。いろいろな人を「死」と向き合わせ、お金を払ってもらい保険に加入してもらう。そしてそうやって加入してもらった方に対して、本気で責任を持つ。医師にも通じる、学ぶべき姿勢だと思いました。

茨木のり子さん、生前の死亡通知

詩人の茨木のり子さんという方がいます。二〇〇六年に七十九歳で亡くなられました。

わたしが一番きれいだったとき
わたしの国は戦争で負けた

戦後の自立した女性の目線で、あたたかい人間性にあふれた詩を書かれました。『自分の感受性くらい』や『倚りかからず』などの詩集は、読んだ方がいらっしゃるかもしれません。私も大ファンです。

彼女は、亡くなる前に自ら、自分の死亡通知のお手紙を書いていました。病名と、日時だけを空欄にしておいて、です。そして彼女の死後、親しかった人たちに次のような手紙が送られました。

ご紹介します。


このたび私'06年2月17日クモ膜下出血にてこの世におさらばすることになりました。

これは生前に書き置くものです。

私の意志で、葬儀・お別れ会は何もいたしません。

この家も当分の間、無人となりますゆえ、弔慰の品はお花を含め、一切お送りくださいませんように。

返送の無礼を重ねるだけと存じますので。

「あの人も逝ったか」と一瞬、たったの一瞬思い出して下さればそれで十分でございます。
あなたさまから頂いた長年にわたるあたたかなおつきあいは、見えざる宝石のように、私の胸にしまわれ、光芒を放ち、私の人生をどれほど豊かにしてくださいましたことか……。

深い感謝を捧げつつ、お別れの言葉に代えさせて頂きます。

ありがとうございました。

身内だけでひっそりと荼毘《だび》に付し、一カ月後に手紙を出す。それが彼女の希望だったそうです。

医師だった夫を亡くしたのは一九七五年。子どもはなく、三十年の長きにわたり彼女はひとりで暮らしていました。

彼女の手紙には、くよくよした感じがありません。無念さの、かけらもありません。どこか毅然としたお手紙です。

手紙を受け取った人になるべく負担をかけず、「一瞬、たったの一瞬思い出して」くれれば十分とおっしゃいます。

そしてなんとも胸のあたたかくなる、心からのお礼の言葉がふんわりとかぶさっていく……。彼女の穏やかな微笑みが、見えてくるようです。

こんな死の迎え方は、なんて素敵なんだろうと思います。

混乱もなく、ゆっくりとまぶたを閉じるようにその生涯を終えていく……。

まるで彼女が送った人生そのもののような、凛としたすがすがしさを感じるのは私だけでしょうか。

（参考「読売新聞」東京版二〇〇六年三月十六日付夕刊）

第六章

幸せな死へ

ここまで、私と一緒にいろいろなかたちの「死」について、その様々な表情を見てきました。

「あなたも私も、いつか必ず死ぬ。しかも突然に」ということを、少しはイメージしていただけたでしょうか。「死」をないものにしたい気持ちや、「死」を怖れる気持ちに、少し変化は起きたでしょうか。

本書の最後に、あらためて、私の考える「幸せな死」についてお話ししたいと思います。

「幸せな死」ってなんでしょうか。そんなものが存在するのでしょうか。

あなたは死なない

そもそも、「死」とは不幸せなことなのでしょうか？

家族や親戚の誰かが亡くなると、「身内に不幸があった」と言います。

「何を言っているんだ、人が死んじゃうんだぞ、怖いし不幸に決まっているじゃないか」と思われる方。

ちょっと待ってください。

あなたの頭のなかの、「死」のイメージについて一緒に考えてみませんか。

死は怖いし、嫌で、忌むべきものというイメージを、今一度見直していただきたいのです。

私、考えてみました。「死」ってなんだろう、と。

いくつかの単語が思い浮かびました。

「死亡」、「亡くなる」、「おかくれになる」、「death」、「鬼籍に入る」、「rest in peace」……。

こんな言葉たちです。

これらをひとつひとつ、さらに具体的にイメージしてみました。

・「死亡」はニュースなどで見る、事故や事件の犠牲者のイメージ。

・「亡くなる」は知人や職場の同僚のご家族、あるいは受け持っている患者さんのイメージ。

・「おかくれになる」はもともと古文で使う日本の古い言葉です。天皇や高貴な人が亡くなるときに使う言葉です。『源氏物語』のひとつの章である「雲隠《くもがくれ》」は、主人公の光の君が亡くなる場面ですが、その章はタイトルだけで何も書かれていないんですね。

・英語のdeathは、なんとなく論文の死亡者数や英字新聞などの大規模災害の被害者数のイメージ。

・「鬼籍に入る」は、やはり「亡くなる」という意味の言葉ですが、祖母が亡くなったときに母が「なんて嫌な表現なんだろうね」と言っていたのを思い出します。
・当時アメリカに住んでいた従兄弟は、facebookに英語で「rest in peace」と書いていました。「安らかに眠れ」とでも訳せばよいでしょうか。英語の慣用句ですが、rest（休む）という単語もpeace（平和）という単語もとてもあたたかなイメージで、哀しみが少しばかり癒えた気がしたのです。

こうして見てみると、こんなことに気がつきました。

「死」を考えるときにはほぼ必ず、具体的な「誰か」の死、というふうに考えていたのです。
そしてその「誰か」は、だいたいが自分の祖父や祖母、親戚や友人、もしくは新聞に載るような有名な人のことが多かったのです。

そして驚いたことに、このなかにはひとつも「私の」死、はありませんでした。

つまり「死」をイメージするときはいつも、自分ではない「他者の」死だったんです。

たしかに、考えてみると死んだ人の経験談を聞いたことがある人はいません。この数千年の歴史上、生き返った人はひとりもいないのです。いやキリストは復活したじゃないか、と思うかもしれませんが、それは置いておいてください。あなたも私もキリストではありませんから。

死とは、先にお話ししたように、あなたに必ず降りかかる一大イベントであるにもかかわらず、そのプログラムや内容、日程、場所は決して明かされていません。

そう考えると、自分の死というものは、どんなものか誰にもわからない未知のもの、ということになります。

でも、それでいいんです。

この本や、映画や闘病記などで仮想体験はできますが、しょせんは本番ではありません。

つまり、「死」とは、実はあなたのものではなかったんです。

いつもいつも「死」は大切な誰かの、あるいは他人のものだったんですね。

言い換えれば、「あなたは死なない」。

なぜなら、自分が死ぬときには、それを自覚することはできないし、体験もできないのです。思い出せないし、メモも取れないし、SNSにもアップできないし、誰にも伝えられない。だってあなたは死んでいるのですから。

そうだとしたら、「幸せな死」というのは、いったい誰にとっての幸せなのでしょうか。

私は、その答えを「あなたにとっての幸せなのではなく、あなたの大切な人にとっての幸せ」な死なのだ、と考えています。

私たちは、大切な人のために、大切な人をより大切にし慈しむために、「幸せに死」んでいかなければならないのです。

ひとりで死ぬのはやっぱり寂しい

でも、いったいどうやったら「幸せに死ぬ」ことができるのでしょうか？

私は、幸せに死ぬためには、幸せに生きることが必須だ、と考えています。前にもお話ししたように、「人は生きてきたように死んでいく」からです。

病院でお会いする患者さんで、なかにはとても不幸せに生きてきて、その不幸な人生から逃れるように旅立っていく人がたまにいらっしゃいます。ですが、私の見る限りその最期はとても幸せなものとは言えません。

とくに、たったひとりで迎える最期がいかに哀しいものか、不幸せなものか、私は身をもって実感しています。最近は孤独死も社会問題となっていますが、お見舞い客も来ないような患者さんは増えてきています。そんな患者さんのお部屋には、私やスタッフが訪れる回数が自然と増えるのですが、それでもやっぱり寂しいものだなと思います。

病院の長い夜。

孤独は痛みを増やし、夜を長くします。

その一方で付き添いの方がいらっしゃる患者さんは鎮痛剤の量が減りますし、不眠も改善するのです。これは実際に病院で日々痛感していることです。

人を真剣に愛した分だけ、その人は最期のときに愛されます。

幸せに生きてきた人は、幸せに死んでいくのです。

幸せのハードルを、自分で動かす

話を戻しましょう。

「幸せに生きる」ために、私は三つの処方箋をお渡ししたいと思います。

これは、修行のすえあみだした秘技でも、世界初公開の新思想でもなんでもありません。私が生きてきて、たくさんの患者さんを診てきたなかで思った、ほんの「ヒント」や「コツ」のようなものです。

一枚目の処方箋です。

「幸せのハードルを、自分で動かす」ということです。

「幸せのハードル」とは、「これ以上であれば幸せだけど、これ以下だと不幸せ」というハー

幸せのハードル

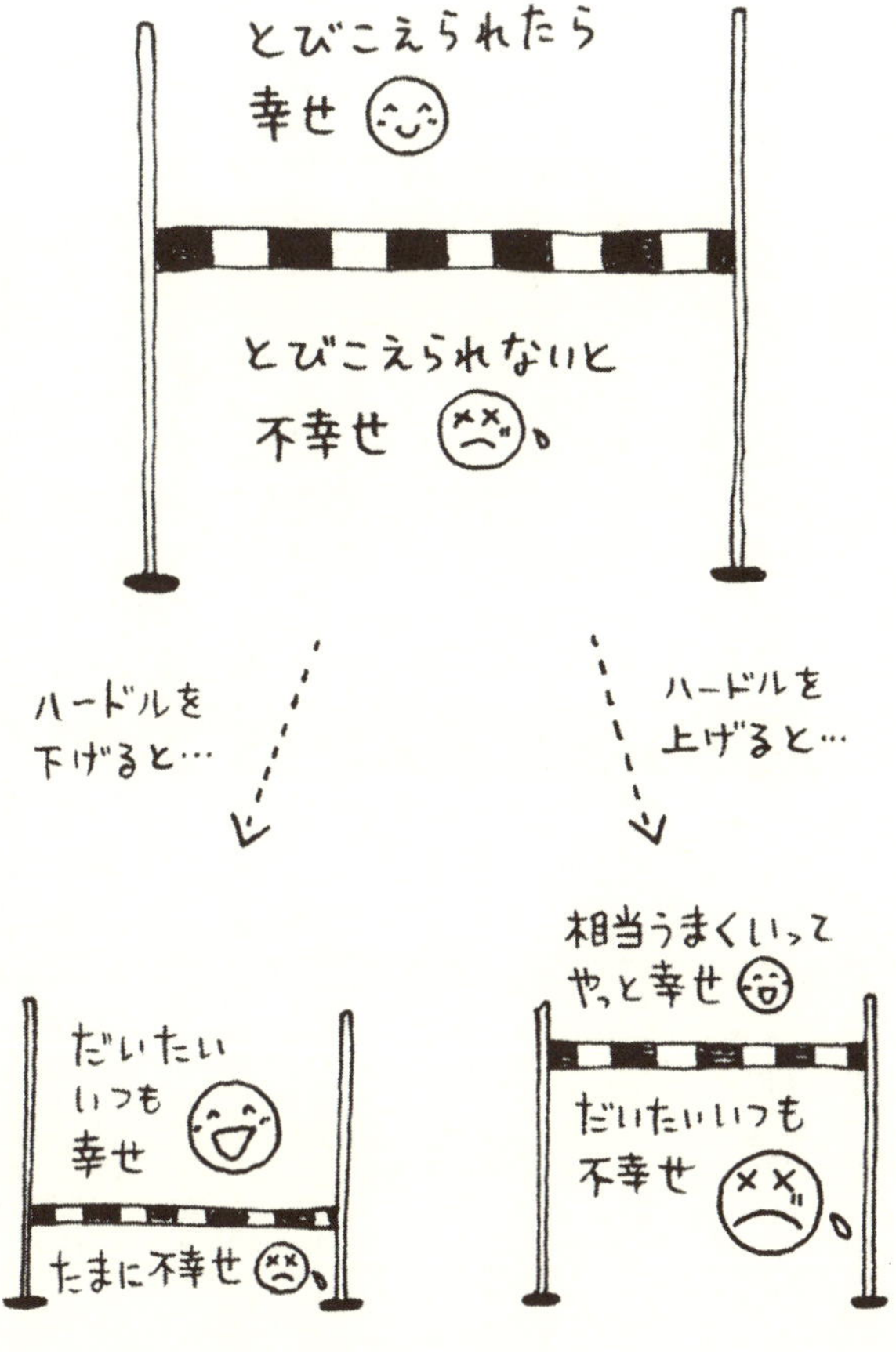
とびこえられたら
幸せ
とびこえられないと
不幸せ
ハードルを
下げると…
ハードルを
上げると…
だいたい
いつも
幸せ
たまに不幸せ
相当うまくいって
やっと幸せ
だいたいいつも
不幸せ

ドルのことです。満足のハードル、と言ってもいいかもしれません。

このハードルは、ひとりひとりのこころのなかにあります。あなたのこころにも、もちろん、私のなかにも。

「幸せのハードル」は、ぱっと見た感じ、古びた重そうな、錆《さ》びついた金属でできていて、しかもしっかりと固定されていて動きそうにありません。

永年のご自身の人生で、「これくらいあれば幸せ」「これができなければ不幸せ」という基準は、だいたい決まっている方が多いんじゃないでしょうか。


「一戸建て庭付きに住めたら幸せ」

「ちゃんと子どもが育って一人前になってくれたら幸せ」

「年に一度、海外旅行に行けたら幸せ」

こんな具合だと思います。


ですが、ちょっと試しにこのハードルを、動かしてみてください。可動式にするのです。

見た目は重そうですが、意外とひょいっと動きませんか。

相田みつをさんの言葉のなかに、私の大好きな言葉があります。

しあわせはいつもじぶんのこころがきめる

私は病院で医者をやっていて、本当にそうだなと思うのです。
患者さんのなかには、「なぜ、よりによって私ががんになってしまったのか。あまりに不運で、運命を呪います」とはっきり宣言され、治療中もずっと「なぜ私が選ばれてしまったのか。なんて私はついていないんだ、不幸なんだ」と言って苦しむ方がいます。そういう患者さんは、その運命を呪うあまり、頑張って責任の所在を探すのです。

あのときかかりつけのクリニックの医者が過労だと言ったから発見が遅れたのではないか。がんになってからも、ここではなくもっといい病院のいい医者にかかれば治ったのではないか。主治医はほかの患者さんのところばかり行ってて、私のことを軽視しているのではないか……。

大腸がんになって、これまでの家庭の味が塩辛すぎたからだと言って、生まれてから何十年も食事を作ってくれた親を恨む。行きつけのレストランを恨む。大好きな日本酒の銘柄の酒造メーカーを訴える。あるいは忙しすぎる生活を強いた会社を訴える。そこで働くことを決めた、過去の自分を責める。

でも……。

がんにかかる。いのちを奪われる病気にかかる。

ここであらためて一科学者として、一医師として断言します。その理由など、現代の医学、科学ではまずわからないのです。

遺伝子異常？　では、その遺伝子異常が起きた原因は？　「加齢、老化」。この程度です。逆に言えば、はっきりと原因がわかる病気など、この世にほとんどないのです。あまりに不条理で、不公平で、残念で納得がいかないけれど、事実なのです。

でも、私は別のタイプの患者さんにもお会いします。

そういう患者さんはなぜか必ず、なんとなく江戸っ子っぽいのです。私ががんの告知をしたときに、ある患者さんに言われた言葉です。

「何、がんにかかっちまったって？

……。

そいつあ仕方ねえ、いやびっくりだけど、かかっちまったもんはしょうがねえじゃねえか。馬鹿野郎、哀しんでどうするんだよ。

こうなったらとことん、やってやろうじゃねえか」

「諦め」ではありません。「やけっぱち」でもありません。

この方の「かかっちまったもんはしょうがねえじゃねえか」という言葉に、とてつもない強さと、優しさを感じるのです。

病気への、運命への覚悟を感じるのです。

自分がいずれ死ぬ病気にかかってしまった無念さはぬぐえませんが、同時にその運命を受け入れて、むしろ歓迎してやろうというくらいの気持ちを持てたら、なんと幸せなことでしょうか。

「そんなしけた面《つら》しててんじゃねえよ、先生」

と言って、彼は暗い顔をした私の背中をばんばん叩くのです。

ほかにも、「がんになったからわかったことがあった」とか、「私はがんになってよかった」とはっきり言い切った患者さんもいました。

「幸せのハードル」を自分で動かす、というのはこういうことだと思うのです。

きれいな夕日を、見る幸せ

「走り高跳び」という陸上競技があります。

あのバーをとっても低くしておけば、たいして助走もせずに楽に跳び越えられますよね。では、棒をだんだん上げていって、跳び越えられそうな跳び越えられなそうな、ぎりぎりの高さにしてみましょう。一度目に跳んだら失敗。ちょっと悔しくなって、あなたはもう一度バーをセットしてスタート地点に戻ります。

今度はどうやったら跳べるだろう。少し助走を長くしてみようか、ジャンプに踏み切る場所を少し手前にしてみようか……。そうやって作戦を練って、もう一度跳びます。また失敗。とても悔しいあなたは、また同じ高さにバーを置いてさらに考えるでしょう。あるいは上手な人にどう跳べばよいかアドバイスを求めるかもしれません。

人間には、このように常に向上・改善を求める傾向があります。その傾向は、もちろん素晴らしいもので、この上に上にと求める力なくして、人類の進化はなかったでしょう。

しかし私は、個人のレベルで、あなたの問題として考えたいのです。

あなたは、いつもがいつも、ご自身で設定した高さを跳び越えられるわけではないかもしれません。

この現代という、情報とモノがあふれた混沌とした時代で、「お金持ちになりたい」とか「偉くなりたい」といった欲は、たしかにあなたを成長させ競争力を上げるかもしれません。社会全体としては、それでさらに先に進むのかもしれません。

でもそれは、「幸せ」とはまったく無縁のものではないか。私はそう思います。

少しのことで満足する。充足する。幸せを感じる。

きょうはいつもの仕事がいつも通りできた幸せ。お昼ご飯を抜くほど忙しくなかった幸せ。仕事帰りに近所のお惣菜屋さんで、五〇パーセント割引のから揚げが買えた幸せ。

もっと言いましょう。

きょうも歩いて、電車に乗って通勤できた幸せ。仕事があり、家族がいる幸せ。雨が降っても、雨に濡れずに帰れた幸せ。友人と、恋人とメールができた幸せ。歩ける幸せ。服を着られる幸せ。自分でかばんが持てる幸せ。ご飯が食べられる幸せ。外に出て、いい空気が吸える幸せ。きれいな夕日を、見る幸せ。

こんな幸せを、感じてください。

当たり前を、幸せに感じてください。

みんな、きっと知っているのです。

幸せとは、大きな仕事を成し遂げたときでも、運命的な出会いをしたときでもなく、ある日の日常のなんでもない生活のなかにそっと隠れているということを。

大昔の偉い人が言いました。

「わずかしか持たない者でなく、多くを望む者が貧しいのである」（セネカ）

知ってもらいたい、ALSのこと

ところで、この世に病気が何種類くらいあると思いますか？
思いつくのは、おそらく二〇個程度ではないでしょうか。
かぜ、骨折、がん、肺炎、腸炎、胃潰瘍、うつ病、心筋梗塞、脳梗塞……。
せいぜいこんなものだと思います。

私は医学部を卒業するときに、「医師国家試験」という試験を受けました。日本で医者をやるためにはこの国家試験に合格しなければならず、ほかの方法はありません。

国家試験では、概算すると約二〇〇〇個の病気を勉強します（実際に数えてみました）。その病気の名前（これが意外と難しいのです）、原因、頻度、症状、治療、そして治るかどうか、何年生きられるかなど。病気の名前はとても難しく、中国語のような漢字から長い外国人の名前のついた病名まで様々です。たとえば、「菌状息肉症」、「び漫性過誤腫性肺脈管筋腫症」、

「Laurence-Moon-Bardet-Biedl 症候群」……。

こうしてたくさんの病気を勉強し、しゃっくりのことを「吃逆《きつぎやく》」、いぼのことを「疣贅《ゆうぜい》」など、医学の専門用語を学びます。

大変な量の丸暗記をして国家試験に臨みますが、細かな知識や専門外の病気の詳しいことはどうしても忘れてしまいます。

しかし、そのなかでどうしても忘れられない、忘れられそうにない病気の記憶が、私にはひとつあるのです。


その病気の名前は「ALS」。

日本語では「筋萎縮性側索硬化症《きんいしゆくせいそくさくこうかしよう》」と言います。

今日本に患者さんは約九〇〇〇人います。この病気について書くことは、ただでさえ傷ついた、奮闘していらっしゃる患者さんたちをより傷つけてしまうのではないか、嫌な思いをさせてしまうのではないかと、私は強く心配します。

しかしALSについて、ひとりでも多くの人に知ってもらうことは、このおそろしい病気の治療開発に少しでもつながるのではないかと思い、やっぱり書くことにしました。

ALSは、身体を動かすための神経が、少しずつこわれていってしまう病気です。神経がこわれると、身体が動かなくなっていきます。

はじめは手足が動きにくくなり、ものをよく落としたりします。それから、だんだんと立てなくなり、座れなくなります。顔の筋肉が動かしにくくなり、しゃべりにくくなります。寝たきりになり、手足が動かなくなります。そしてしゃべれなくなります。もちろん食事も食べられません。

最終的には、呼吸をする筋肉がだめになってしまい、息が止まります。

その前に、気管切開と言ってのどに三センチほどの創《そう》をつくり、気管に一センチの穴を開けて、チューブを入れておいて人工呼吸器という機械で息をする処置をすることもあります。また、食事が摂れないので、お腹に一センチくらいの穴を開けて、胃にも穴を開けてチューブを入れ、そこから栄養剤を入れる処置（「胃瘻《いろう》」と言います）をすることもあります。

原因はまったく不明。九割以上のケースでは、遺伝との関係はありません。

突然の発病から、人にもよりますが五年くらいかけてじわじわと進行します。

ゆっくりゆっくり、いろいろなことができなくなっていくのです。

そして辛いことに、感覚はずっと保たれたままです。痛みは感じ続けるのです。意識もずっとあるのです。


いかがでしょうか。

ご想像ください。


あれ、なんか力が入りにくいな。よくものを落とすようになった。そう思って、病院に行ったら、大きい病院を紹介されて入院、一週間の入院中にいろいろな検査をされる。背中に針を刺されて水を抜かれたり、手や足に針を刺して力を入れたりする検査。なぜこんな検査をやるんだろう？　あちこち痛い検査。


その結果、聞いたことのない病気「ＡＬＳ」と診断される。

ＡＬＳ？　えーえるえす？

医者は、「原因は不明、治療法はありません。だんだん日常生活ができなくなっていきます。平均して三年半で死亡します」と淡々と告げる。

え、なんだって？　この私が??

家に帰り、いろいろな人に報告する。報告する携帯電話も、いずれ扱えなくなるんだ、と思う。だんだんと歩けなくなってきて、かばんが持てなくなり、仕事を辞める。階段が上れなくなる。車いすの生活が始まる。からだも動かなくなってきた。寝たきりになる。何度か呼吸困難になり、人工呼吸器をつける。自力で食事ができなくなり、人に食べさせてもらうようになる。背中がかゆくても、かけない。トイレの世話も、すべて人にやってもらう。

ゆっくりと進む絶望。

でも、この病気の一番怖いことはそんなことではありません。

次の試練。それは、医者に「これ以上生きる？　それとも死ぬ？」と聞かれることなのです。つまり、呼吸が自分でできなくなり、窒息死を選ぶか、のどに穴を開けてチューブで人工呼吸器をつけて生きるか、の選択を迫られる。

「もし、ひとたび人工呼吸器をつけたら」医者は言う。「あなたが途中でどんなに死にたくなっても、私は外せません。法律では、人工呼吸器を止めたりチューブを外したりすることは殺人罪になるからです。お金がなくなろうが、世話をしてくれる人がいなくなろうが、親が死のうが、絶対にできません。今は機械が進歩しているので、人工呼吸で十年以上生きる人もいます」

人工呼吸器をつけるか否か、どうやって医師は説明するのでしょうか。

『ALS治療ガイドライン二〇〇二』という、治療に当たる医師が読むものにはこう載っています。

人工呼吸器を使って社会参加を積極的に行っている患者も増えていると同時に、病院の一画で天井だけを見て生活したり、患者が人工呼吸器を装着したことを後悔してはずしたくてもはずせない状況に陥るばあいなど、メリットとデメリットの両面から情報を提供し、医師の価値観をできるだけいれずに説明する。

あなたは、自分が生き続けるかどうかを自分で決めなければなりません。

「生きる」と決めた場合に、一生誰かを介護者として指名しなければなりません。これ以上切ないことが、この世にあるのでしょうか。

そして、「生きる」と決めたあなたには、さらなる恐怖が待っています。

それは、
「閉じ込め症候群」（Totally locked-in state）
と言われる状態になることです。

身体はついに、何も動かなくなります。顔も、目も、指も。

でも、頭ははっきりしています。意識はしっかりしています。

自分から、意思を表すことはできません。何もできません。ただひとり、冷静な頭で考えるだけです。まるで小さい部屋に、閉じ込められたようになるのです。

世界と断絶したなかでひとり、あなたは何を考えますか？　何年間考えますか？

暗闇でひとり、孤独のなかで。

信じられないほどの、絶望ではないでしょうか。

そんなALSにかかった、広告代理店の藤田正裕さんという人が本を出しています。タイトルは、『99%ありがとう　ALSにも奪えないもの』(ポプラ社)。三十歳でALSにかかってから、約三年でこの本を出版しました。彼はすでに、目しか動きません。

「僕は今、この文章を目で書いている」で始まります。

私は、つばをごくりと飲み込んで、とても緊張しながらこの本を読みすすめました。ずっと、この世で一番辛いと思っていた病気に、本当にかかってしまった方の手記だったからです。しかも筆者の藤田さんは、私と同世代です。

彼は二週間の検査入院をしたあと、医師から検査結果を説明するので親を呼ぶようにと言われます。大げさな、と思ってお兄さんと二人で医師の説明を聞きます。

……内容はほとんど覚えていない。ただ、

「ゆっくり全身麻痺になり、死ぬ。そして治療薬はない」

ということだけわかった。

医師はきっと、詳しく説明をしたのでしょう。淡々と、医師の価値観をできるだけ入れずに。

そのときの心境を、こう書いています。

心境は説明できない。

その瞬間から、人生が変わるのを体全体で感じた。

その後、二人で病院の周りを歩いた。泣いて、笑って、怒って、狂った。近くのお寺で手を合わせた。「助けてください」から、「テメーも死ね」まで、わけがわからなかった。

と、激しくパニックに陥っています。

死の宣告のようなものです。

でも、彼の本当にすごいところは、その続きのところです。

その夜、ひとりでひたすらYouTubeでALSのビデオを見た。辛いどころじゃなかったけど、「逃げちゃいけない」と、調べまくった。

私は、泣きました。

この絶望的な自分の運命の前に、しっかりと目を開いて、口で息をして、震える膝を自ら打って、食い入るようにALSについて調べる彼の姿を想像して、泣きました。

これ以上の強さを、私は知りません。

でも、それからのこと。退院後はもう力が入らなかったのでしょう、階段が上れなくなっていたので引っ越しをしました。

きっと眠れない夜が続いたことでしょう。

あきらめと希望の間で揺れ動く日々が続いたでしょう。

少しずつ、病気を受け入れる。二度の呼吸困難で死にそうになっても、頑張る。

そのなかで、彼は死についてこう書いています。

「死」って人間のなかでもっとも大げさで、ドラマティックにとらえられているコンセプトなのかもしれない。
これは残された人たちにとっては違うけど、ただ、「逝く」人間にとってはとてもあっさりとしていて、シンプルだ。……きっと「生」と「死」は紙一重なんだ。
生きているからこそ、今こう思う。
僕は生死の狭間で「死」を少し騙せたのかもしれない。

彼はかつてないほど強く「自分が死ぬこと」に直面し、本当に死にかけ、歩み寄ってきた「死」を「騙」して少しあちらへ追いやったのでしょう。

それから彼はこう続けます。

だからこれからは、日常のなかで「生きる」ことに対してもっと楽しみを見つけていけるよう、賢く生きていきたい。

こんな彼に、私は最大の敬意を表します。いや、そんな固い言葉ではなく、あなたは、私の知っている人のなかで、一番強い人だ、とお伝えしたい。

彼は本のなかでも、揺れ動きます。
気管切開をし、のどにチューブを入れて「生き続ける」選択をした彼は、「気管切開、それは、『生き続ける』と腹をくくること」と言い切っています。しかし徐々に顔の筋肉が落ちてきて、恐怖がまたじわりと襲ってくるのです。

どうやって戦えばいいかわかんない相手、どう倒せばいいんだよ、チクショー。

目しか動かなくなる恐怖。
目も動かなくなる恐怖。
今朝も目が覚め、その先の状態を考えてしまい、パニック。
自殺の思いに襲われ続けながら、自分を落ち着かせた。
希望と絶望って、ホントに隣合わせ。

希望と絶望のあいだを行ったり来たり。

私は思いました。彼が、もしこの病気にかかると知っていたら、それまでの人生は変わったでしょうか？ 世界一周にでも出かけたでしょうか？ 自暴自棄になって犯罪に走ったりしたでしょうか？

この本の最後に、彼は「もしALSを発症する前の自分に問いかけることができたら、なんと言うだろう？」と問いかけています。

僕は、「どこかへ行く計画を立てるのではなく、今日、富士山に登る、公園で散歩を楽しむ、車で行きたい方向へとにかく走る」と言ったでしょう。……思うがままに、風や芝生や太陽に身を任せているだろうか？ すべての出来事は、この世からの贈り物・プレゼントなのです。一瞬立ち止まって、その素晴らしさを実感する時間をとるかどうかは、自分自身の選択です。僕は、もっと大事なやるべきことがあると思って、今まではこういった瞬間を足早に通り過ぎてきました。それを思うと心が痛みます。

そしてこの本はこう結んでいます。

今の自分はもうほとんど動くことができません。ＡＬＳがそれを奪っていくのです。こうなることがわかっていたら、もっと周りの世界を感じ、見て、呼吸して、感謝の気持ちを持って過ごしていたと思います。だから皆さんは、明日公園で散歩をして、その楽しさを味わってください。

そして、僕を探してみてください。きっと笑顔で散歩する僕がいるはずです。

彼は、今日もベッドの上で芝生のにおいや、太陽の眩しさに想いを馳せているでしょう。

（参考―一般社団法人日本ＡＬＳ協会ホームページ、難病情報センターホームページ、日本神経学会『ＡＬＳ治療ガイドライン』）

代わりがいるから、自由になれる

二枚目の処方箋です。

私は今、一介の外科医として、研究者として、長い長いキャリアの道を歩いているところです。ゴールは遠すぎて見えませんし、そもそもゴールなんてあるのかどうかもわかりません。

医者は、日本に三〇万人近くいます。

外科医は、日本に何万人もいます。

前に取った「外科専門医」という、なんとなく偉そうな資格を持っている医師は二万人もいます（全然偉くもなんともなく、専門医とは名ばかりなのですが）。

私は、この数字を見てこう思いました。

「二万人もいるんだから、きっと自分がいなくなっても何も変わらない。日本の医療がダメージを受けるわけではないし、誰かが困るわけでもない。すぐに代わりの誰かが似たような仕事を、似たようなクオリティでできるだろう」

この私、中山祐次郎という人間の価値のなんと小さいことか。

あんなに大変な思いをして、二年も浪人しフーフー言って医学部に入って、必死で六年間勉強をして国家試験に受かって、さらに病院に泊まり込みのような過酷な生活を続け、土日も祝日も盆暮れも働いて。

やっと得た今の「外科専門医」という職業、スキル、キャリア。

そんなものは、日本に二万人もいて、簡単に交換可能で、まるで携帯電話の代替機のような、車の代車のような、代わりのきく程度のものだったのです。


ちょっとした絶望でした。

代わりがいくらでもいる。

自分はいても、いなくても同じである。


でもそれは、少し私の心のゆとりにもなりました。

「ほかのドクターたちが頑張ってくれる。だから私は好きなことをある程度やってもいい。好きなように生きてもいい」


ちょっと不謹慎で不真面目かもしれませんね。

無責任だ、という批判が聞こえてきそうですが、ハイ無責任です、と答えましょう（笑）。

「代わりがいないから、尊い」という考えもありますが、私は「代わりがいるから、好きに生きていい」と考えたのですね。

このくらいのゆとりが、むしろ私を頑張らせてくれました。

あなたは、どんな方でしょうか。

サッカー日本代表のトッププレイヤーですか？　巨大企業の会長ですか？　パリ・コレのモデルですか？　ノーベル賞を受賞した科学者ですか？

たぶん違うと思います。

でも、もしそうでも、代わりの人がいるとは思いませんか？

あなたの代わりになる人は、たくさんいるのではないでしょうか。

「代わりの人がいる。しかもいくらでも、いつでも補充可能」

これは一見哀しい事実かもしれません。

でも、私はこの事実をまず受け入れ、そしていいことだとさえ思ったのです。

自分がいてもいなくても、地球は回るし社会も経済も止まらない。こんな気楽なことはないんじゃないでしょうか。

代わりがいるからこそ、私は、あなたは、自由に生きていいんじゃないでしょうか。

私がもしW杯のサッカー日本代表の監督だったら、かちこちに緊張した選手にこう言うでしょう。

「大丈夫、代わりはいくらでもいる。好きにやってこい」と。

「お前には代わりはいない。いなくなったらおしまいだと思え」なんて言われたら、気合いは入るかもしれませんが、緊張してプレーも萎縮してしまいそうです。

代替可能性はあなたをむしろ動きやすくします。

いつ死んでも後悔するように生きる

そして三枚目の処方箋です。

「いつ死んでも後悔するように生きる」ということです。

あれ？ 逆じゃないの？ とお思いでしょうか。

「いつ死んでも後悔しない」とはよく聞きますが、私は反対に考えています。別に奇をてらったわけではありません。

本当に、いつ死んでも、後悔するような生き方がしたいのです。

私は今こうして本を執筆しています。まだ出版前の状態で、これを書きあげる前にトラックにひかれ、世に出されないまま死んでしまったらどうだろう。とっても後悔するだろうと思います。

そして医学の論文を三つ、書いている途中です。この大変な苦労をして書いている論文を世に出せず、中断してしまったら悔やんでも悔やみきれません。根気強くご指導くださる上司にも、合わせる顔がありません。

外科医として自分の腕を磨き、一流の外科医を目指す。今まさに修業の真っ最中であり、脂が乗りに乗っているところです。歯を食いしばってずっとやってきて、ついにぐんぐんと成長する自分を感じるようになりました。この熱狂的な修業が今中断してしまうとしたら、残念で残念でなりません。

男で、三十四歳の独身です。結婚もしておらず、子どももおりません。まだ親に孫も抱かせていない今、この生を閉じてしまうのは本当に無念です。


あなたはいかがでしょうか。

今大切なプロジェクトの真っただ中ではありませんか?

もう少しで昇進する、大事な時期ではありませんか?

わが子の成長を見守る、愛おしい幸せな時間ではありませんか?

独立したばかりで、今自分がいなければ何事も進まないような大事なところではないですか?


今中断したら、後悔するでしょうか。しないでしょうか。

もし後悔しないとしたら、それはどこかで本気ではないのではないかと思います。後も先も考えず、今目の前にあるミッションに対して、目いっぱい熱狂して夢中で取り組んでいたら、それが中断したら無念で無念でならないはずなんです。いのちがけでやっていたなら、無念で仕方がないはずです。


葛飾北斎は、江戸時代の絵師ですが、九十歳で亡くなる直前に、

「もし天命があと五年あったら、本物の絵師になれただろう」

と遺言を残しています。

「富嶽三十六景」などの天才的な画を描いた彼でさえ、しかも九十歳まで精力的に作品や絵を描いていた彼でさえ、「あと五年」と、自分の死を悔しがっているのです。


私という人生の何十年かのなかで、ベルトコンベヤーのように次々と私の前にあらわれてくるいろいろなタスクたち。

それらをひとつひとつきちんと、必死に脇目も振らずやっていく。こなしていく。たまには、自分でベルトコンベヤーの上流に向かって歩いて、仕事を先取りして。しんどくなったら、少し速度を落として、いくつか見逃したりして。

そんなことをしているうちに、いくつ目かのタスクに向き合って必死になっているときに、後ろから工場長にぽんぽんと肩を叩かれて。

「ごくろうさん。途中だけど、もう君は十分にやったんだ。ゆっくり、休みなさい」

と言われて、

「え、いや工場長さん、まだこれ始めたところなんです」とか、「ちょっと待ってください。これが終わるまではちょっと待ってください」なんて言いながら、「ああ残念、あとちょっとだったのに」なんて言ってしぶしぶ引っ込むんです。

いつ死んでも、後悔する。

私は、こんなふうに生きたいな、と思っています。

おわりに

「生と死について、書きたい。」

医者になって八年。

コップに注ぎ続けた水があふれるように、この想いは私という器から溢流《いつりゅう》し言葉になりました。

それから約八カ月の間、毎日の手術や学会発表の合間をぬって、大切な人を見送った体験を追想し、出会った多くの患者さんのことを想いながらこの本を書き上げました。

テーマが「死」に関するものだったからか、書いている途中で徐々に眠れなくなり食欲をなくし、ときに涙しながらキーボードを叩く日々。終わりのない、真っ暗なトンネルをたったひとりで歩いているような、そんな気分でした。

そうして書き上げた文。こころを尽くし、想いを尽くし、精神を尽くした原稿。高校時代からの友人のつてで、とある編集者の方に読んでいただける機会に恵まれました。しかし、半年待って「出版できません」とのお返事。がっくりと落ち込んだ私は、一度は出版を諦めてしまいました。

私のような、無名で若造の修業途中の医者が吐いた言葉。そんなものにはなんの価値もないのではないか。こんな考えが頭のなかをぐるぐると渦巻きました。抜け殻のようになり、茫然自失の毎日を送っていました。雨の季節にただぼんやりと、ひとり外を眺め酒を飲んでいました。

そんなある日、ひとつのアプリに目が止まりました。「755（ナナゴーゴー）」という、スマートフォンのアプリ。掲示板のような、フェイスブックのようなツイッターのようなアプリです。変な名前だな。

私はなんの気なしに「藪医者外来へようこそ」という自分のトークルームを開設し、「藪医師（やぶいし）」と名乗って日々のことを呟いていました。

755での、文字と写真だけのコミュニケーション。名前も顔も出さなかったからでしょうか、落ちこんでいた私はふだん誰にも言えないような、医者としての本音をお話ししました。患者さんを失った苦悩、絶望的な見通しを患者さんにお話ししたときの胸の痛み、うまくいかない治療の苛立ち、難手術がうまくいった喜び。あげくの果てには自らの懐事情や恋愛模様まで、赤裸々に語っていたのです。

二〇一四年の秋になり、見城徹さんがこのアプリを始められました。この本の出版元である幻冬舎の社長さんで、「伝説の編集者」の異名をとる、出版業界では知らぬ人のいない方です。私も著作を読んでおり、秘かに憧れていました。

私は激しく興奮し、喜び勇んで見城さんのトークにコメントをしました。初めてお返事が来たときは、舞い上がったのをおぼえています。

それから755上でおそるおそるコメントをし、交流をさせていただきました。しばらくして、私の丸裸なトークに興味を持ってくださったことがきっかけとなり、この原稿を読んでいただき出版のお話をくださったのです。

「すべての新しいものは、たった一人の孤独な熱狂から始まる」

という、見城さんが紹介した言葉があります。

この言葉を目にした私は、一度は諦めた出版の夢にもう一回チャレンジすることに決めました。

それから数カ月後、その言葉を広めた見城さんの出版社から自著を上梓することとなり、運命的なものを感じています。

私のコンセプトである、「死を想う」。

これをひとりでも多くの方に届けたい。

ただその一心で、値段が少し安い、この「新書」というスタイルの本にしました（本音を言えば、かっこいい装丁の単行本にしたかったのですが）。

この本をお読みになった方が、自らの「死を想」い、生き方を変え、いずれ来る幸せな死を迎えられますように。

私の願いはそれだけです。

最後になりましたが、著書で私の生き方を変えさせ、さらには無名の私に出版という機会をくださった幻冬舎社長の見城徹さんに熱く厚く御礼を申し上げます。そして突然決まった出版の、素人の原稿をていねいに整え、休日に何時間も私と議論を交わしてくださった担当編集者の小木田順子さん。私の書き方の先生となってくださいました。本当にありがとうございました。

中学・高校時代の同級生で、TBS社員の柳内啓司君。君が「書いてみなよ」と言い、幾多の相談に乗ってくれなければ私は執筆を決意できなかったし、この本が生まれることはありえなかった。狭い私の世界に風穴をあけてくれてありがとう。これからも、一生よろしく。

そして私の職場の大腸外科チームの髙橋慶一先生、松本寛先生、山口達郎先生、中野大輔先生には臨床、手術の御指導、そして恋愛からお金の相談に至るまで、いつもありがとうございます。目眩《めまい》がするほど多忙な日々を乗り切れるのも、先生方との家族のような関係があってこそ。かけたご迷惑は数えきれません。

さらに、私にぐちぐちとお説教をされながらも、夜間と休日の病院を守ってくれる初期・後期研修医の若い先生方の献身があったからこそ、私は執筆の時間をとれました。本当にありがとうございます。

病棟の看護師さんたちには、厳しいことも言いますが本当に信頼しています。患者さんに寄り添うなかで、ときに医師よりも鋭いご意見をくださるみなさんとの本気の議論のなかで、私は「生と死」についての考えを深めました。本当に、ありがとうございます。

手術室の看護師さんにも、毎日手術中に汗っかきの私の額を拭《ふ》いたり、私が快適に手術ができるようサポートしてくださって感謝しております。

そして、755で毎日私にコメントをくださった、「藪医者外来へようこそ」の一四〇〇人を超えるフォロワーのみなさま。名前も顔も知らず、住む土地も年齢も性別も職業も違うみなさまからの温かい励まし。見城さんとの出会いから出版が決まるまでの一部始終を見守ってくださった、親の如き愛で包んでくれる匿名の人々の優しさに、私は幾度涙したかわかりません。この「奇跡のアプリ」を作ってくれた堀江貴文氏、藤田晋氏、運用しているサイバーエージェントの子会社「755」のスタッフのみなさまに、厚く御礼申し上げます。

そして。

若造の私を「先生」とお呼びになる患者さんたちから、私は実に多くのことを学びました。

この本で引用させていただいた患者さんのエピソードや、日々病魔と闘うあなたさまのお姿は、今も私の胸に刻まれております。

いつの日か、絶望のうちにそのときを迎える方がひとりもいなくなりますように。

その祈りをこめて、筆をおかせていただきます。

二〇一五年二月十四日　医局のデスクにて

中山祐次郎

著者略歴

中山祐次郎《なかやまゆうじろう》

一九八〇年、神奈川県生まれ。横浜で汽笛を聞きながら青春時代を過ごし、聖光学院中学校・高等学校を卒業後、二年間の代々木ゼミナール横浜校での浪人生活を経て、国立鹿児島大学医学部医学科に入学、二〇〇六年に卒業。その後、がん・感染症センター都立駒込病院外科初期研修医・後期研修医を修了。現在は同院大腸外科医師(非常勤)として、臨床、研究、学会発表、研修医指導に多忙な日々を送る。参加手術件数は一年に二三三件(二〇一四年度、NCD登録数)。資格はマンモグラフィ読影認定医、外科専門医、がん治療認定医。

新世代トークアプリ「755(ナナゴーゴー)」では「藪医師」の名で合計約四五万ウォッチ(二〇一五年三月一日現在)を誇る。

幻冬舎新書 376

幸せな死のために一刻も早くあなたにお伝えしたいこと

若き外科医が見つめた「いのち」の現場三百六十五日

二〇一五年三月二十五日　第一刷発行
二〇一五年六月　十五　日　第五刷発行

著者　中山祐次郎

発行人　見城　徹
編集人　志儀保博
発行所　株式会社　幻冬舎
〒一五一-〇〇五一　東京都渋谷区千駄ヶ谷四-九-七
電話　〇三-五四一一-六二一一(編集)
〇三-五四一一-六二二二(営業)
振替　〇〇一二〇-八-七六七六四三
ブックデザイン　鈴木成一デザイン室
印刷・製本所　中央精版印刷株式会社

Printed in Japan　ISBN978-4-344-98377-9 C0295
な-20-1
幻冬舎ホームページアドレス http://www.gentosha.co.jp/
*この本に関するご意見・ご感想をメールでお寄せいただく場合は、comment@gentosha.co.jp まで。